BRIAN LUMLEY · KREATUREN DER NACHT

In dieser Reihe erschienen:

2801 *Das Erwachen*
2802 *Vampirblut*
2803 *Kreaturen der Nacht*
2804 *Untot*
2805 *Totenwache*
2806 *Das Dämonentor*
2807 *Blutlust*
2808 *Höllenbrut*
2809 *Wechselbalg*
2810 *Duell der Vampire*
2811 *Totenhorcher*
2812 *Blutkuss*

In Vorbereitung:

2813 *Konzil der Vampire*

Besuchen Sie uns im Internet:
http://www.Festa-Verlag.de

Brian Lumley

Kreaturen der Nacht

Necroscope 3

Aus dem Englischen von Hans Gerwien

FESTA

1. Auflage November 2001
2. Auflage Oktober 2002
3. Auflage Dezember 2003

Originaltitel: *Necroscope 2: Wamphyri!*

Umschlaggestaltung: www.babbarammdass.de
Literarische Agentur: Thomas Schlück GmbH, 30827 Garbsen
Druck und Bindung: Finidr, Tschechien

ISBN 3-935822-35-9

Für Dave und Pete und all die Kerle, die ich im Juli 1986 im ›House on the Borderland‹ kennenlernte.

Prost!

ERSTES KAPITEL

Der Nachmittag des vierten Montags im Januar 1977; Schloß Bronnitsy in der Nähe der Serpuchovstraße unweit von Moskau; 14.40 Uhr mitteleuropäischer Zeit, und ein Telefon in der provisorischen Untersuchungszentrale klingelte ... immer und immer wieder.

Schloß Bronnitsy stand in zentraler Lage auf offenem, torfigem Gelände inmitten eines dichten Waldstreifens, der nun von blendend weißem, angewehtem Schnee bedeckt war: ein heruntergekommenes herrschaftliches Landhaus, in dem sich verschiedene Architekturstile vermischten. Mehrere neuere Flügel des Hauses waren aus modernem Backstein auf alten Steinfundamenten errichtet worden, während andere aus billigen Leichtbausteinen bestanden, die man lediglich mit einem Tarnanstrich aus grauer und grüner Farbe versehen hatte. Ein ehemaliger Innenhof zwischen den in U-Form angelegten und im Stil so unterschiedlichen Flügeln war mittlerweile überdacht worden, und das Dach hatte man so angestrichen, daß es sich in die umgebende Landschaft einpaßte. Am Fundament eingebettet in steile Giebelmauern erhoben sich zwei Zwiebeltürme oder Minarette mit teilweise eingestürzten Kuppeln hoch über die Landschaft. Ihre mit Brettern vernagelten Fenster wirkten wie finstere, geschlossene Augen. Passend zu dem verkommenen Eindruck aller Gebäude sahen die oberen Teile dieser Türme verfallen wie faulige Zähne aus. Aus der Luft gesehen, schien es sich bei dem Schloß um eine verlassene alte Ruine zu handeln. Doch das war es keineswegs, obwohl die Türme nicht das einzige Zeugnis seines Verfalls waren.

Außerhalb des überdachten Innenhofs stand ein Zehntonner-Militärlastwagen. Die Plane war hinten zurückgeschlagen, und aus dem Auspuff quoll beißender, blauer Qualm in die eiskalte Winterluft.

Ein KGB-Mann, auffallend in seiner typischen »Uniform« mit dunkelgrauem Mantel und Pelzmütze, blickte über die herunterhängende Heckklappe des Lastwagens in dessen Inneres, sah die Ladung und schauderte. Die Hände tief in den Manteltaschen vergraben wandte er sich einem zweiten Mann im weißen Kittel eines Technikers zu und verzog das Gesicht.

»Genosse Krakovic«, brummte er, »wer zum Teufel sind die? Und was machen sie hier?«

Felix Krakovic sah ihn an und schüttelte den Kopf: »Das würden Sie nicht verstehen, wenn ich es Ihnen erklärte. Und sollten Sie es doch verstehen, würden Sie es nicht glauben.« Wie sein ehemaliger Chef Gregor Borowitz betrachtete Krakovic alle KGBler als niedrige Lebensformen. Er beschränkte jede Information und Zusammenarbeit mit ihnen auf ein absolutes Minimum – natürlich innerhalb gewisser Grenzen, was Vorsicht und persönliche Sicherheit betraf. Beim KGB gab es kaum ein »Vergeben und Vergessen«.

Der stämmige Geheimdienstler zuckte die Achseln, zündete eine kurze braune Zigarette an und zog dann vehement an dem Mundstück. »Versuchen Sie's trotzdem«, sagte er. »Es ist wohl kalt hier, aber ich fühle mich warm genug. Sehen Sie, wenn ich Genosse Andropov Bericht erstatten muß – und ich muß Ihnen wohl nicht sagen, welchen Posten er im Politbüro einnimmt – wird er Auskünfte von mir verlangen, und deshalb will ich von Ihnen auch Antworten hören. Also, sollen wir nun hier draußen stehenbleiben, bis ...«

»Zombies!« sagte Krakovic mit einem Mal. »Mumien! Menschen, die vor vierhundert Jahren gestorben sind. Das kann man anhand ihrer Bewaffnung feststellen, und ...« Zum ersten Mal vernahm er das hartnäckige Schrillen des Telefons und wandte sich der Tür in der rostigen schmiedeeisernen Fassade des überdachten Innenhofs zu.

»Wo wollen Sie hin?« Der KGB-Mann rührte sich nun und nahm die Hände aus den Taschen. »Erwarten Sie etwa, daß ich Yuri Andropov berichte, dieses – dieses Chaos – sei von Toten verursacht worden?« Er erstickte fast an seinen eigenen Worten, hustete lang und laut und spuckte schließlich in den Schnee.

»Wenn Sie lange genug dort in diesen Auspuffgasen stehenbleiben und dann auch noch dieses Unkraut rauchen, können Sie ja gleich zu denen auf den Lastwagen steigen!« Krakovic trat durch die offene Tür und schlug sie hinter sich zu.

»Zombies?« Der Agent rümpfte die Nase und betrachtete noch einmal die Wagenladung Leichen.

Er konnte nicht wissen, daß es sich um Tartaren von der Krim handelte, die 1579 von russischen Truppen auf dem Marsch nach einer Plünderung Moskaus, dem sie zu Hilfe eilen sollten, in Massen dahingeschlachtet worden waren. Sie waren gestorben und hatten in ihrem Blut im Sumpfmatsch gelegen. Durch eine tief liegende Torfschicht waren sie zum Teil erhalten geblieben – und waren zwei Nächte zuvor wieder aufgetaucht, um das Schloß anzugreifen! Diesen Krieg hatten sie gewonnen, die Tartaren und ihr junger englischer Anführer Harry Keogh – denn nach der Auseinandersetzung waren nur noch fünf der Verteidiger des Schlosses am Leben. Krakovic war einer davon. Fünf von dreiunddreißig, und das einzige Opfer unter den Angreifern war Harry Keogh selbst gewesen. Ein erstaunlicher Unterschied, wenn man die Tartaren nicht mitzählte. Aber die zählten ja wohl nicht, denn sie waren bereits vor Beginn des Kampfes tot gewesen.

Daran mußte Krakovic denken, als er den Teil des Geländes betrat, der einst der gepflasterte Innenhof gewesen war. Nun befand sich dort eine weite, plastikgeflieste Fläche, unterteilt in luftige Gewächshäuser, kleine Wohnungen und Laborräume. Hier hatten Angehörige des »Experimentellen Dezernats« unter vergleichsweise bequemen Bedingungen, welche Bedingungen auch immer ihrer Arbeit entgegenkommen mochten, ihre esoterischen Talente untersucht und geübt. Noch vor achtundvierzig Stunden war hier alles in Ordnung gewesen, doch nun wirkte es wie ein Schlachtfeld. Die Trennwände waren von Einschußlöchern durchsiebt, und auf allen Seiten waren die Folgen von Explosionen und Flammen zu sehen. Es war ein Wunder, daß nicht alles bis auf die Gundmauern niedergebrannt war, oder zumindest total ausgebrannt.

In einer weitgehend von Trümmern geräumten Zone – der sogenannten provisorischen Untersuchungszentrale – hatte man einen Tisch aufgestellt, auf dem das klingelnde Telefon stand. Krakovic ging darauf zu, blieb jedoch stehen, um zuerst einmal ein großes Stück einer Stellwand zur Seite zu schleifen, das ihm den Weg versperrte. Darunter, vergraben unter Gipsbrocken, Glasscherben und den Überresten eines zerbrochenen Stuhls, lag ein abgerissener Arm mit der dazugehörigen Hand wie eine riesige, grau gepuderte Schnecke. Das Fleisch war verschrumpelt, braun wie Leder verfärbt, und der herausstehende

Schultergelenkknochen schimmerte blütenweiß. Der Arm war beinahe schon ein Fossil. Es würden noch viele solcher Fragmente auftauchen, über das gesamte Schloß verteilt, doch von ihrem ekelhaften Anblick einmal abgesehen, waren sie harmlos – im Moment. Nicht jedoch in jener Schreckensnacht. Krakovic hatte beobachtet, wie ebensolche Leichenteile, ohne einen Kopf oder ein lenkendes Gehirn, weitergekrochen waren, gekämpft, getötet hatten!

Er schauderte, schob den Arm mit seinem Fuß zur Seite und ging zum Telefon. »Krakovic?«

»Wer?« fauchte ein unbekannter Anrufer zurück. »Krakovic? Sind Sie der Verantwortliche?« Es war eine Frauenstimme, eine äußerst energische noch dazu.

»Ich glaube schon, ja«, antwortete Krakovic. »Was kann ich für Sie tun?«

»Für mich nichts. Was den Parteivorsitzenden angeht, kann nur er das entscheiden. Er hat die letzten fünf Minuten über versucht, Sie zu erreichen!«

Krakovic war müde. Er hatte seit diesem Alptraum nicht mehr geschlafen und bezweifelte, daß er je wieder schlafen würde. Er und die anderen vier Überlebenden, einer davon ein tobender Wahnsinniger, waren erst am Sonntag Morgen aus dem Tresorraum hervorgekommen, als ihnen die Luft ausgegangen war. Seither hatten die anderen ihre Aussagen gemacht und waren heimgeschickt worden. Schloß Bronnitsy war eine Hochsicherheitseinrichtung, also würden ihre Aussagen der Allgemeinheit nicht mitgeteilt werden. Krakovic, der als einziger der Überlebenden noch einigermaßen klar denken konnte, hatte sogar verlangt, daß man den gesamten Fall in allen Aspekten direkt Leonid Breschnev mitteilen solle. Das entsprach ohnehin den Vorschriften: Breschnev war die Nummer eins, persönlich und unmittelbar verantwortlich für das E-Dezernat, trotz der Tatsache, daß er alles Gregor Borowitz überlassen hatte. Doch das Dezernat war für den Parteivorsitzenden wichtig gewesen, und er hatte alles zu sehen bekommen, was von dort herausdrang (jedenfalls alles Wichtige). Borowitz hatte ihm außerdem bestimmt ausführlich von der paranormalen Arbeit des Dezernats berichtet – ParaPSIchologie nannte er das insgeheim –, also sollte Breschnev wenigstens einigermaßen in der Lage sein, zu beurteilen, was hier geschehen war. Jedenfalls hoffte Krakovic das. Auf jeden Fall war das besser, als zu versuchen, Yuri Andropov alles zu erklären!

»Krakovic?« schnauzte ihn das Telefon an. *War das wirklich der Parteivorsitzende?*

»Äh, ja, Towaritsch, Felix Krakovic. Ich war Mitglied des Stabs von Genosse Borowitz.«

»Felix? Warum sagen Sie mir Ihren Vornamen? Erwarten Sie von mir, daß ich Sie mit dem Vornamen anrede?« Die Stimme klang wohl hart, es schien aber doch, als kaue ihr Besitzer gleichzeitig etwas Weiches. Krakovic hatte mehrere von Breschnevs relativ seltenen Reden gehört; es konnte sich nur um ihn handeln.

»Ich ... nein, natürlich nicht, Genosse Parteivorsitzender.« (Wie zum Teufel redete man ihn eigentlich an?) »Aber ich ...«

»Hören Sie mal, führen Sie nun dort den Befehl?«

»Ja, äh, Genosse Partei ...«

»Vergessen Sie den Quatsch«, krächzte Breschnev. »Ich brauche niemanden, um mich daran zu erinnern, wer ich bin – nur Antworten. Ist niemand übrig, der im Rang über Ihnen steht?«

»Nein.«

»Jemand gleichen Ranges?«

»Vier, aber einer ist ein Verrückter.«

»Was?«

»Er wurde wahnsinnig, als ... als es passierte.«

Es gab eine kurze Pause, und dann sprach die Stimme etwas weniger grob weiter: »Wissen Sie, daß Borowitz tot ist?«

»Ja. Ein Nachbar fand ihn in seiner Datscha in Zhukovka. Der Nachbar war ein Ex-KGBler und setzte sich mit Genosse Andropov in Verbindung, der einen Mann herschickte. Er ist jetzt hier.«

»Mir ist noch ein Name geläufig«, fuhr Breschnevs undeutliche, rauhe Stimme fort. »Boris Dragosani. Was ist mit ihm?«

»Tot«, und bevor Krakovic sich beherrschen konnte: »Gottseidank!«

»Wie war das? Sie sind froh, daß einer Ihrer Genossen tot ist?«

»Ich ... ja, ich bin froh.«

Krakovic war zu müde, um irgend etwas anderes als die Wahrheit zu sagen. Er wollte aus seinem Herzen keine Mördergrube machen. »Ich glaube, daß er ein Teil unseres Verhängnisses war. Zumindest bin ich der Meinung, er hat es über uns gebracht. Seine Leiche ist noch hier. Genauso die Leichen unserer anderen Toten – und die von Harry Keogh, den wir für einen britischen Agenten halten. Und dazu noch ...«

»Die Tartaren?« Breschnevs Stimme klang nun sehr ruhig.

Krakovic seufzte. Der Mann stand also doch über allen Vorurteilen. »Ja, aber sie ... beherbergen kein Leben mehr«, antwortete er.

Wieder eine kurze Pause. »Krakovic – äh, Felix, sagten Sie? – ich habe die Aussagen der drei anderen gelesen. Entsprechen sie der Wahrheit? Keine Möglichkeit eines Irrtums, Massenhypnose oder nur Einbildung oder sowas? War es wirklich so schlimm?«

»Die Aussagen stimmen – Irrtum ausgeschlossen – es war *wirklich* so schlimm!«

»Felix, hören Sie zu. Nehmen Sie die Dinge in die Hand. Ich meine *Sie* persönlich! Ich will nicht, daß man das E-Dezernat schließt. Es war unserer Sicherheit mehr als nützlich. Und Borowitz war mir persönlich mehr wert als meine Generäle je glauben würden. Also will ich das Dezernat wieder aufbauen. Es sieht so aus, als sei das nun Ihre Aufgabe!«

Krakovic hatte das beängstigende Gefühl, man habe ihm den Boden unter den Füßen weggezogen. Er rang nach Worten. »Ich ... Towaritsch ... ich meine ...«

»Schaffen Sie das?«

Krakovic war nicht verrückt. Es war eine einmalige Chance. »Es wird Jahre dauern – aber ja, ich werde mich bemühen.«

»Gut! Aber wenn Sie das übernehmen wollen, müssen Sie schon mehr als sich nur bemühen, Felix. Lassen Sie mich wissen, was Sie benötigen, und ich sorge dafür, daß Sie es bekommen. Das Erste, was *ich* will, sind Antworten. Aber ich bin der einzige, der diese Antworten erhält, verstehen Sie? Diese Sache muß unter den Teppich gekehrt werden. Es darf kein Leck geben. Und das erinnert mich an etwas – sagten Sie nicht, es sei gerade jemand vom KGB bei Ihnen?«

»Er ist draußen vor dem Haus.«

»Holen Sie ihn!« Nun klang Breschnevs Stimme wieder hart. »Holen Sie ihn ans Telefon. Ich will sofort mit ihm sprechen!«

Krakovic wollte schon zur Tür gehen, doch in dem Moment öffnete sie sich und der Gesuchte trat ein.

Er reckte die Schultern, damit er noch größer erschien, blickte Krakovic mürrisch und mit zusammengekniffenen Augen an und sagte: »Wir waren noch nicht fertig, Genosse.«

»Ich fürchte doch.« Krakovic war schwindlig; er hatte ein Gefühl im Hinterkopf, als schwebe er. Es mußte auf die Erschöpfung zurückzuführen sein, die ihn allmählich überwältigte. »Es will Sie jemand am Telefon sprechen.«

»Was? Mich?« Der andere schob sich an ihm vorbei. »Wer ist es? Jemand aus dem Büro?«

»Bin nicht sicher«, log Krakovic. »Zentrale, glaube ich.«

Der KGB-Mann sah ihn finster an, runzelte die Stirn und ergriff den Hörer.

»Yanov. Was gibt es? Ich bin hier ziemlich beschäftigt, und ...«

Augenblicklich begannen sich seine Miene und seine Gesichtsfarbe zu verändern. Ein Ruck durchlief seine Gestalt, und er geriet beinahe ins Wanken. Er schien sich nur noch am Telefon festzuhalten. »Jawohl! Oh, ja, Towaritsch. Ja. Oh, ja. Nein, Towaritsch – das werde ich machen. Ich werde – aber, nein, Towaritsch! Ja! Ja!« Er wirkte, als sei ihm schlecht geworden, und er hielt Krakovic den Hörer hin, offensichtlich froh, ihn loszuwerden.

Als Krakovic ihm den Hörer abnahm, zischte der Agent bösartig: »Narr! Das ist der Parteivorsitzende!«

Krakovic machte große Augen und formte mit dem Mund ein stummes »O«. Dann sagte er betont lässig: »Hier ist wieder Krakovic«, worauf er sofort dem KGB-Mann wieder den Hörer ans Ohr hielt, damit er verstehen konnte, was Breschnev sagte: »Felix? Ist das Arschloch schon weg?«

Diesmal war es der Geheimagent, dem die Kinnlade herunterklappte.

»Er geht gerade«, antwortete Krakovic. Er nickte ruckartig in Richtung der Tür. »Raus! Und behalten Sie im Gedächtnis, was Ihnen der Parteivorsitzende zu sagen hatte! Zu Ihrem eigenen Besten.«

Der KGBler schüttelte wie betäubt den Kopf, leckte sich über die Lippen und hastete zur Tür. Sein Gesicht war immer noch totenblaß. An der Tür wandte er sich um und streckte trotzig das Kinn vor. »Ich ...«, begann er.

»Auf Wiedersehen, Genosse.« Damit schickte ihn Krakovic hinaus. »Jetzt ist er weg«, bestätigte er schließlich, nachdem die Tür ins Schloß gefallen war.

»Gut! Ich will nicht, daß die sich einmischen. Sie haben Gregor nicht ins Handwerk gepfuscht, und ich will auch nicht, daß sie Ihnen hineinpfuschen. Wenn die Ihnen irgendwelche Schwierigkeiten machen, wenden Sie sich sofort an mich!«

»Ja, Towaritsch.«

»Und nun zu meinen Wünschen ... Aber sagen Sie mir zuerst einmal, ob die Unterlagen des Dezernats die Katastrophe überstanden haben.«

»Fast alles ist noch in Ordnung, bis auf unsere Agenten. Es gibt natürlich eine Menge Schäden hier. Aber was die Unterlagen betrifft, die Ausrüstung und das Schloß selbst – das ist alles recht gut erhalten, glaube ich. Im Gegensatz zu unseren Arbeitskräften. Ich sage Ihnen einmal, wer noch übrig ist. Da bin ich und die drei anderen Überlebenden – abgesehen von einem, der wahnsinnig geworden ist. Sechs weitere befinden sich in den verschiedensten Gebieten auf Urlaub, drei recht gute Telepathen sind im Dauereinsatz in Verbindung mit den Botschaften Großbritanniens, der USA und Frankreichs, und weitere vier oder fünf Agenten sind vor Ort über die ganze Welt verstreut. Mit achtundzwanzig Toten haben wir beinahe zwei Drittel unserer Belegschaft verloren. Die meisten unserer besten Kräfte sind nicht mehr vorhanden.«

»Ja, ja.« Breschnev wurde ungeduldig. »Arbeitskräfte sind wichtig, deshalb habe ich Sie ja auch nach den Unterlagen gefragt. Verstärkung! Das ist zunächst unsere wichtigste Aufgabe. Es wird lange dauern, das ist mir klar, aber machen Sie sich dran! Der alte Gregor hat mir einmal gesagt, Sie hätten da eine besondere Art von Mitarbeitern, die andere mit diesen Talenten ausmachen können, stimmt's?«

»Ich habe immer noch einen guten Talentsucher zur Verfügung, ja«, antwortete Krakovic und nickte unwillkürlich dabei. »Ich werde ihn sofort in den Einsatz schicken. Und ich beginne natürlich gleich mit dem Studium der Unterlagen von Genosse Borowitz.«

»Gut! Also, dann sehen Sie mal zu, wie schnell sie alles wieder aufräumen können. Und was die Leichen der Tartaren betrifft: Verbrennen Sie sie. Und niemand darf sie sehen! Es ist mir gleich, wie Sie das anstellen, solange Sie es nur erledigen. Dann stellen Sie mir schriftlich zusammen, welche Reparaturen am Schloß durchgeführt werden müssen. Ich werde das sofort in die Wege leiten. Ich werde hier sogar einen Mann hinsetzen, den Sie jederzeit und aus egal welchem Grund anrufen können – unter dieser Nummer oder einer anderen, die er Ihnen durchgeben wird. Das gilt ab sofort. Sie informieren ihn und er informiert mich. Er wird als einziger über Ihnen stehen, Ihnen aber nichts verweigern. Sehen Sie, wie sehr ich Sie schätze, Felix? Recht so, das sollte die Dinge wieder in Gang bringen. Was den Rest betrifft: Felix Krakovic, ich will wissen, *wie* es zu alledem kam! Haben die Amerikaner, die Briten, die Chinesen, einen großen Vorsprung? Ich meine, wie konnte ein einzelner Mann, dieser Harry Keogh, so viel Schaden anrichten?«

»Towaritsch«, antwortete Krakovic, »Sie hatten Boris Dragosani erwähnt. Ich habe ihn einmal bei der Arbeit beobachtet. Er war Nekromant. Er hat die Geheimnisse toter Menschen ausgeschnüffelt. Ich habe zugesehen, wie er mit Leichen Sachen angestellt hat, die mir noch monatelang Alpträume verursacht haben. Sie wollen wissen, wie Harry Keogh soviel Schaden anrichten konnte? Dem wenigen nach zu schließen, was ich bisher in Erfahrung bringen konnte, scheint es, daß er zu beinahe allem fähig war. Telepathie, Teleportation, selbst Dragosanis eigene Nekromantie. Er war ihr bester Mann. Ich glaube, Keogh war auch Dragosani um einige Schritte voraus. Gut und schön, wenn man tote Menschen foltert und ihnen ihre Geheimnisse aus dem Blut und dem Hirn und den Eingeweiden entreißt, aber es ist doch etwas ganz anderes, sie aus ihren Gräbern hervorzurufen und sie dazu zu bringen, daß sie für Sie kämpfen!«

»Teleportation?« Einen Augenblick lang war der Parteivorsitzende sehr nachdenklich, dann fuhr er jedoch ungeduldig fort: »Wissen Sie, je mehr ich zu hören bekomme, desto weniger glaube ich. Ich würde überhaupt nichts glauben, wenn ich nicht Borowitz' Ergebnisse gesehen hätte. Und wie sonst könnte ich ein paar hundert Tartarenleichen erklären, eh? Aber im Augenblick ... Ich habe Ihnen nun schon genug

Zeit gewidmet. Ich habe noch mehr zu tun. In fünf Minuten wird Ihr Mittelsmann hier am Telefon sitzen. Denken Sie nach, und dann sagen Sie ihm, was Sie erledigt haben wollen, alles, was Sie brauchen. Wenn er etwas für Sie erreichen kann, wird er es auch erreichen. Er hat früher schon solche Aufträge erfüllt. Nun ja, nicht genau dieselben ... Noch etwas zum Schluß.«

»Ja?« Krakovic schwamm der Kopf.

»Lassen Sie mich etwas noch einmal ganz deutlich sagen: Ich will Antworten auf meine Fragen. So schnell wie möglich. Aber ich muß eine zeitliche Grenze setzen, und die liegt bei einem Jahr. Wenn das um ist, wird das Dezernat zu hundert Prozent effizient arbeiten, und Sie und ich werden über alles informiert sein. Und wir werden alles verstehen. Sehen Sie, Felix, wenn wir alles wissen, sind wir genauso schlau wie die Leute, die das angerichtet haben. Klar?«

»Das erscheint mir nur logisch, Parteivorsitzender.«

»Ist es auch, also machen Sie sich an die Arbeit. Viel Glück!« Aus dem Telefon drang nur noch der durchgehende Wählton.

Krakovic legte nachdenklich den Hörer auf die Gabel zurück, starrte das Telefon einen Augenblick lang an und ging dann zur Tür. Im Kopf entwarf er Listen – ungefähr nach Priorität sortiert – der Dinge, die erledigt werden mußten. Im Westen hätte man eine solch massive Tragödie nicht vertuschen können, aber hier in der UdSSR war das nicht halb so schwierig. Krakovic war nicht sicher, ob er das als etwas Gutes betrachten sollte oder nicht.

– – Die Toten hatten Familien. Man mußte ihnen jetzt irgend etwas erzählen – vielleicht hatte es einen »tragischen Unfall« gegeben. Das fiel in den Verantwortungsbereich seines Mittelsmannes.

– – Alle Mitarbeiter des E-Dezernats mußten sofort zurückgerufen werden, einschließlich jener drei, die über die Geschehnisse Bescheid wußten. Sie befanden sich jetzt zu Hause, waren aber schlau genug, nichts auszuplaudern.

– – Man mußte die Leichen von achtundzwanzig Kollegen aus dem E-Dezernat bergen, einsargen und so gut wie möglich für die Beerdigung vorbereiten. Und das mußte hier an Ort und Stelle von den Überlebenden und den von außerhalb Zurückgerufenen getan werden.

– – Die Rekrutierung neuer Mitarbeiter mußte sofort beginnen.

– – Ein Stellvertreter mußte ernannt werden, damit Krakovic eine richtige, komplette Untersuchung einleiten konnte, und zwar wirklich von Anfang an. Das war etwas, was er persönlich unternehmen mußte, so wie Breschnev befohlen hatte.

– – Und Punkt 6 würde ihm einfallen, sobald die ersten fünf in Gang gekommen waren!

Doch zuvor ...

Draußen spürte er den Fahrer des Militärlastwagens auf, einen jungen uniformierten Feldwebel.

»Wie heißen Sie?« fragte Krakovic teilnahmslos. Er mußte bald etwas Schlaf bekommen.

»Feldwebel Gulharov, Towaritsch!« Er stand stramm.

»Vorname?«

»Sergei, Towaritsch!«

»Sergei, nennen Sie mich Felix. Sagen Sie, haben Sie jemals von Felix, dem Kater gehört?«

Sein Gegenüber schüttelte den Kopf.

»Ich habe einen Freund, der alte Filme und Comics sammelt«, erzählte Krakovic ihm mit einem Achselzucken. »Er hat Verbindungen. Was auch immer, es gibt da eine lustige amerikanische Comicfigur namens Felix, der Kater. Er ist ein sehr vorsichtiger Bursche, dieser Felix. Das sind Katzen ja ohnehin für gewöhnlich. Wußten Sie das? Beim britischen Militär nennt man übrigens die Bombenentschärfungsspezialisten auch Felix – sie müssen äußerst vorsichtig auftreten. Ach, vielleicht hätte mich meine Mutter auch Sergei nennen sollen, ja?«

Der Feldwebel kratzte sich am Kopf. »Towaritsch?«

»Vergessen Sie's«, sagte Krakovic. »Sagen Sie, haben Sie einen Reservekanister?«

»Nein, nur, was im Tank ist, Towaritsch. Ungefähr fünfzig Liter.«

Krakovic nickte. »In Ordnung. Steigen wir ein, und ich sage Ihnen, wohin wir fahren.« Er ließ ihn um das Schloß herum zu einem Bunker in der Nähe des Hubschrauberlandeplatzes fahren, wo das Flugbenzin gelagert war. Es war keine Entfernung, aber immer noch bequemer, den Lastwagen zum Flugbenzin zu fahren als das Benzin zum Lastwagen zu schaffen. Unterwegs, als sie über den unebenen Boden rumpelten, fragte der Feldwebel: »Towaritsch, was ist hier eigentlich passiert?«

Zum ersten Mal bemerkte Krakovic, daß die Augen des jungen Mannes glasig wirkten. Er hatte mitgeholfen, seine grausige Fracht aufzuladen. »Solche Fragen dürfen Sie niemals stellen«, ermahnte Krakovic ihn. »Überhaupt – solange Sie sich hier befinden, und das könnte eine lange, lange Zeit sein, stellen Sie *gar keine* Fragen! Machen Sie einfach, was man Ihnen sagt.«

Sie luden die Kanister mit dem Flugbenzin gleich hinter der Heckklappe auf und fuhren damit zu einer bewaldeten Ecke des Schloßgrundstücks, wo der Boden sehr sumpfig war. Sergei Gulharov protestierte zwar, doch Krakovic befahl ihm, den Lastwagen noch ein Stückchen weiter zu fahren, bis er fast im hochgeschleuderten Schnee und Matsch feststeckte. Als sie nicht mehr vorwärtskamen, meinte Krakovic: »Das reicht jetzt.«

Sie stiegen aus und luden die Benzinkanister ab, und unter heftigen Protesten half der Feldwebel schließlich Krakovic dabei, Flugbenzin auf die Ladefläche und rund um den Lastwagen auszugießen. Als sie fertig waren, fragte Krakovic: »Ist noch irgend etwas in der Fahrerkabine, was Sie haben möchten?«

»Nein, Towaritsch.« Gulharov war erregt. »Towaritsch, äh – Felix, das dürfen Sie nicht tun! Wir *können* sowas nicht machen! Ich komme vor ein Kriegsgericht und vielleicht sogar vor ein Erschießungskommando! Wenn ich zur Kaserne zurückkomme, werden sie ...«

»Sind Sie verheiratet?« Krakovic ging in Richtung der Bäume und goß dabei noch ein wenig übriggebliebenes Benzin auf den Boden. Es sah aus wie eine dunkle Furche im blendend weißen Schnee.

»Alleinstehend.«

»Ich auch. Gut! Also, Sie werden nicht zur Kaserne zurückkehren, Sergei. Von jetzt an arbeiten Sie ausschließlich und immer für mich.«

»Aber ...«

»Kein Aber! Der Parteivorsitzende hat es angeordnet. Sie sollten sich geehrt fühlen!«

»Aber mein Oberfeldwebel und der Oberst werden ...«

»Glauben Sie mir«, unterbrach ihn der andere, »sie werden stolz auf

Sie sein! Rauchen Sie, Sergei?« Er klopfte die Taschen seines nicht mehr ganz weißen Laborkittels ab und fand ein Päckchen Zigaretten.

»Ja, Towaritsch, gelegentlich.«

Krakovic bot ihm daraufhin eine Zigarette an und steckte sich ebenfalls eine in den Mund. »Ach, ich habe anscheinend meine Streichhölzer vergessen.«

»Towaritsch, ich ...«

»Streichhölzer«, wiederholte der ältere und hielt die Hand auf.

Gulharov resignierte und faßte in eine seiner Taschen. Falls Krakovic verrückt geworden war, könnte es am Ende für ihn noch gut ausgehen. Man würde den Mann einsperren, und der kleine Feldwebel Sergei Gulharov wäre entlastet. Natürlich konnte er – in der Annahme, er sei übergeschnappt – gleich jetzt über Krakovic herfallen und ihn unschädlich machen. *Falls* er wirklich verrückt war, würde *ihn* das zum Helden machen! Er straffte sich.

Krakovic sah voraus, was der andere vorhatte. Das war sein persönliches PSI-Talent: Vorhersage. Er wußte vorher, was geschehen würde. In einer Lage wie dieser war das genauso nützlich wie Telepathie. Er konnte beinahe die Anspannung in der Muskulatur des jungen Feldwebels spüren. »Wenn Sie das tun«, sagte er schnell und in großem Ernst, wobei er dem anderen geradewegs in die Augen blickte, »kommen Sie wirklich vor ein Kriegsgericht!«

Gulharov biß sich auf die Unterlippe, ballte eine Faust, entspannte sie wieder und trat einen Schritt zurück.

»Also?« Krakovic hatte Geduld mit ihm. »Glauben Sie wirklich, ich würde den Namen des Parteivorsitzenden mißbrauchen?«

Der Feldwebel zog eine Schachtel Streichhölzer aus der Tasche und reichte sie ihm. Sie traten von der Benzinspur zurück. Dann zündete Krakovic ihre Zigaretten an, hielt die Hand schützend vor die Flamme, bis das gesamte Streichholz brannte, und warf es schließlich in den tödlich vorbereiteten Schnee.

Blaue, fast unsichtbare Flammen jagten auf den dreißig Meter entfernten Lastwagen zu. In der plötzlichen, intensiven Hitze rutschte der Schnee entlang der Benzinfurche in sich zusammen. Und der Lastwagen entzündete sich in einem grellen Blitz. Leuchtend blaue Flammen schlugen hoch. Die beiden Männer traten ein Stück weiter nach hinten und beobachteten, wie die Flammen immer höher tanzten. Sie hörten, wie die Fracht der uralten Leichen unter Knattern, Zischen und gelegentlichem Knallen verbrannte.

Geht zurück, wo ihr hingehört, Jungs, dachte Krakovic, *und keiner wird jemals wieder eure Ruhe stören können!* »Kommen Sie«, sagte er. »Gehen wir, bevor der Tank explodiert!«

Sie rannten schwerfällig durch den Schnee zum Schloß zurück. Eigenartig, aber erst, als sie sich bereits im Schatten des Schloßgebäudes befanden, explodierte der Tank schließlich, und der Lastwagen wurde zur tobenden Flammenhölle. Als sie das Aufbrüllen der Explosion hörten und die Druckwelle sie packte, sahen sie sich noch einmal um. Führerhaus, Karosserie und Aufbau waren in die Luft geflogen, Trümmerstücke fielen brennend in den Schnee, und ein mit Flammen durchsetzter Rauchpilz quoll über die Baumwipfel.

Das war geschafft ...

Krakovic unterhielt sich eine Weile lang am Telefon mit seinem Mittelsmann, einer anonymen Stimme, die sich kaum für das zu interessieren schien, was er sagte, aber knapp, präzise und scharf klang wie eine Rasierklinge, sobald ihr Eigentümer etwas wissen wollte. Er beendete das Gespräch mit der Bemerkung: »Oh, und ich habe noch einen neuen Assistenten, einen Feldwebel Sergei Gulharov vom Versorgungs- und Transport-Regiment in Serpuchov. Ich behalte ihn hier. Können Sie dafür sorgen, daß er ab jetzt auf Dauer zum Schloß versetzt wird? Er ist jung und kräftig und ich habe eine Menge Arbeit für ihn.«

»In Ordnung, ich werde das in die Wege leiten«, bestätigte der andere kühl und bestimmt. »Er wird so etwas wie Ihr Mädchen für alles sein, sagten Sie?«

»Und auf die Dauer auch mein Leibwächter«, fügte Krakovic hinzu. »Ich bin nicht gerade kräftig.«

»Also gut. Ich werde überprüfen, ob es eine Möglichkeit gibt, ihn einen militärischen Personenschutz-Lehrgang absolvieren zu lassen. Er sollte auch eine Waffenausbildung erhalten, falls er nicht auf dem Laufenden ist. Natürlich könnten wir das Verfahren auch abkürzen und Ihnen einen Leibwächter ...«

»Nein«, behauptete sich Krakovic. »Keinen Profi. Der hier reicht aus. Er ist noch recht naiv, und das gefällt mir. Es ist erfrischend.«

»Krakovic«, mahnte die Stimme am anderen Ende der Leitung, »ich muß etwas wissen. Sind sie homosexuell veranlagt?«

»Natürlich nicht! Ach, klar! Nein, ich brauche ihn wirklich – und er wirkt etwa genauso schwul wie ein Werftarbeiter. Ich will Ihnen sagen, wieso ich ihn gerade jetzt brauche – weil ich hier nämlich ganz allein bin. Wären Sie hier, würden Sie verstehen, was ich damit sagen will.«

»Ja, man hat mir berichtet, daß Sie einiges zu überstehen hatten. Also gut, überlassen Sie mir alles.«

»Dankeschön«, beendete Krakovic höflich das Gespräch. Er legte auf.

Gulharov war beeindruckt. »Einfach so«, stellte er fest. »Sie haben eine Menge Einfluß, Towaritsch!«

»Es scheint so, oder?« Krakovic lächelte erschöpft. »Hören Sie, ich bin todmüde. Aber es gibt noch etwas zu tun, bevor ich schlafen kann. Und lassen Sie sich gesagt sein: Wenn Ihnen das, was wir bisher getan haben, schon unangenehm war, werden Sie jetzt viel Schlimmeres zu sehen bekommen! Kommen Sie mit.«

Er schritt voran durch das Chaos zerstörter Zimmer und aufgehäuften Schutts, aus dem überdachten ehemaligen Innenhof hinaus und in das ursprüngliche Hauptgebäude, dann über ausgetretene Steinstufen zwei Treppen hoch bis in einen der Zwillingstürme. Hier hatte Gregor Borowitz sein Büro gehabt, das Dragosani in dieser Schreckensnacht zu seinem Hauptquartier gemacht hatte.

Im Treppenaufgang waren die Wände verschrammt und verkohlt. Winzige Fragmente von Schrapnellen, platt verformten Bleikugeln und Messinghülsen lagen überall verstreut. Die Luft war noch vom Gestank nach Kordit erfüllt. Das rührte von den Handgranaten her, die von oben runtergeworfen worden waren, als man den Turm angegriffen hatte. Aber nichts dergleichen hatte Harry Keogh und seine Tartaren aufgehalten. Am zweiten Treppenabsatz stand die Tür zu einem winzigen Vorraum offen. Der hatte als Empfangszimmer für Borowitz'

Sekretär Yul Galenski gedient. Krakovic hatte ihn persönlich gut gekannt: einen recht schüchternen Mann; ein Büroangestellter ohne PSI-Talent. Lediglich ein einfaches Mitglied der Belegschaft.

Zwischen der geöffneten Tür und dem Treppengeländer lag mit dem Gesicht auf dem Boden eine Leiche in der Dienstkleidung des Schlosses: grauer Overall mit einem einzelnen gelben Diagonalstreifen auf der Brust. Nicht Galenski (er war ein reiner »Zivilist« gewesen), sondern der diensthabende Offizier. Das Gesicht des Toten lag in einer Blutlache. Es wirkte platt – mehr als üblich, weil nur wenig von den Gesichtszügen übriggeblieben war, als habe man sie ihm vom Kopf gerissen.

Die beiden Männer schritten vorsichtig über die Leiche hinweg und betraten das kleine Büro. In einer Ecke hinter einem Schreibtisch saß die zusammengekrümmte Gestalt Galeskis, die Hände abwehrend um die rostige Klinge eines Krummschwerts geklammert, das in seiner Brust steckte. Es war mit solcher Gewalt in seinen Körper getrieben worden, daß es ihn an der Wand festgenagelt hatte. Seine Augen waren geöffnet, doch in seinem starren Blick zeigte sich keinerlei Angst mehr. Manchen Menschen stiehlt der Tod alle Gefühle.

»Mutter Gottes!« flüsterte Gulharov. So etwas hatte er noch nie gesehen. Er hatte ja noch nicht einmal einen bewaffneten Einsatz erlebt.

Sie traten durch eine zweite Tür in das Zimmer, das Borowitz als Büro gedient hatte.

Es war geräumig. Großflächige, kugelsichere Erkerfenster gestatteten einen freien Blick von der runden Mauer des Turms bis hin zu dem fernen Wald. Der Teppich war versengt und von dunklen Flecken übersät. In einer Ecke stand ein massiver Eichenholz-Schreibtisch, von den Fenstern her gut beleuchtet und von der Mauer dahinter geschützt. Was den Rest des Zimmers betraf: nur Trümmer und – ein Alptraum!

Die Innereien eines zerschmetterten Radioapparats lagen auf dem Fußboden, die Wände waren verschmiert und die Tür war durch den Aufprall von Querschlägern zersplittert worden. Die Leiche eines jungen Mannes in typisch westlicher Kleidung lag, wo sie zu Boden gefallen war, hinter der Tür – von Maschinengewehrgarben beinahe in zwei Teile zerrissen. Sie klebte im eigenen Blut am Boden.

Das war Harry Keogh gewesen: kein besonders auffallender Mann. Vom bleichen, unverletzten Gesicht des Toten war weder Angst noch Schmerz abzulesen.

Was den Alptraum anbetraf, saß dieser an die gegenüberliegende Wand gelehnt auf dem Boden.

»Boris Dragosani«, sagte Krakovic und deutete auf den Leichnam. »Das Ding auf seiner Brust dort hat ihn gelenkt, glaube ich.« Er stieg vorsichtig über die Trümmer und blickte schließlich hinab auf die Überreste Dragosanis und seines Parasiten. Gulharov stand dicht hinter ihm und wagte sich nicht zu nahe heran.

Beide Beine Dragosanis waren gebrochen und lagen schräg abgewinkelt. Seine Arme hingen schlaff herunter, die Ellenbogen knapp über dem Boden, die Unterarme rechtwinklig verdreht, und die Hände ragten weit aus seinen Jackenärmeln heraus. Diese Hände wirkten wie Klauen, groß, kräftig, und so schienen sie nach Dragosanis letzten Zuckungen in der Greifbewegung erstarrt zu sein. Sein Gesicht war vom Todeskampf verzerrt, ein erschreckender Eindruck, der noch dadurch verstärkt wurde, daß man es kaum als ein menschliches Gesicht bezeichnen konnte. Und dazu kam noch der klaffende Riß, der seinen Schädel von einem Ohr zum anderen spaltete.

Aber dieses *Gesicht!*

Dragosanis Kiefer waren so lang wie die eines großen Hundes. Der Mund stand weit offen und enthüllte gekrümmte, nadelfeine Reißzähne. Der Schädel war verformt, und die Ohren liefen nach vorn spitz zu und lagen flach an den Schläfen an. Die Augen wirkten wie zerklüftete rote Krater. Die Nase war extrem lang, runzlig, und am Ende platt. Große Nasenlöcher klafften darin. Sie sah aus wie die eingedrückte Schnauze einer riesigen Fledermaus. So wirkte er denn auch: teils Mensch, teils Wolf, teils Fledermaus. Und das Ding, das an seiner Brust klebte, war noch schlimmer.

»Was ... was ist das denn?« stammelte Gulharov.

»Gott sei mir gnädig.« Krakovic schüttelte den Kopf. »Ich weiß es nicht. Aber es lebte in ihm. Also, in ihm drin, meine ich. Es kroch erst ganz am Ende heraus.«

Der Rumpf des – Dings hatte die Form eines riesigen Blutegels, war etwa fünfundvierzig Zentimeter lang und lief am Ende in einem schmaleren Schwanz aus. Es besaß keine Gliedmaßen und schien sich an Dragosanis Brust festgesaugt zu haben. Es war allerdings dort festgenagelt worden, und zwar mit einem spitzen Pflock, der aussah wie ein Splitter aus dem harten Holzkolben eines schweren Maschinengewehrs. Die Haut war grau-grün und wirkte wie angefault. Gulharov bemerkte, daß der Kopf, der ein Stück entfernt auf dem Teppich lag, flach, dem einer Kobra ähnelnd, jedoch augenlos, blind ...

»Es ist ... wie ... ein gigantischer Bandwurm!« Gulharovs Miene zeigte blankes Entsetzen.

»In etwa.« Krakovic nickte düster. »Jedoch intelligent, böse und tödlich!«

»Warum sind wir hier heraufgekommen?« Gulharovs Adamsapfel hüpfte aufgeregt. »Es gibt fünfzig Millionen Orte, an denen ich jetzt lieber wäre.«

Krakovics Gesicht war bleich und seine Miene gequält. Er konnte Gulharovs Gefühle nur zu gut verstehen. »Wir sind hier heraufgekommen, weil wir das da verbrennen müssen, klar?« Wieder war es seine Begabung, die ihn mahnte, daß sowohl Dragosani wie auch sein Symbiont vernichtet werden mußten, *vollständig* vernichtet. Er blickte sich um und bemerkte einen hohen stählernen Aktenschrank, der neben der Tür stand. Zusammen mit Gulharov riß er die Regalbleche heraus und verwandelte den Schrank in einen Metallsarg. Sie legten ihn auf die Rückwand und schleiften ihn über den Boden zu Dragosanis Leiche.

»Sie nehmen ihn an den Schultern und ich an den Hüften«, befahl Krakovic. »Sobald er drin liegt, können wir die Tür schließen und ihn die Treppe hinunterschleifen. Ehrlich gesagt, lege ich keinen Wert darauf, ihn anzufassen. Jedenfalls so wenig wie möglich. So ist es wohl am besten.«

Vorsichtig hoben sie die Leiche an, wuchteten sie über den Rand des Schrankes und ließen sie innen heruntersinken. Gulharov wollte die Tür herunterrollen, aber der aus Dragosanis Brust ragende Pflock war im Weg. So packte er ihn mit beiden Händen – und die mentale Warnung traf Krakovic wie ein Hammerschlag aufs Herz!

»Nicht berühren!« schrie er, doch es war zu spät.

Als Gulharov den Pflock herausriß, erwachte der monströse Blutegel – auch ohne seinen Kopf – wieder zum Leben. Der ekelhafte, schneckenähnliche Körper fing an, fieberhaft zu zucken und wäre auf diese Weise beinahe über die Schrankwand nach draußen geglitten. Gleichzeitig brach die ledrige Haut an einem Dutzend Stellen auf, und aus den Öffnungen schoben sich halb geformte Fangarme, die sich in einer Art hirnloser Agonie wanden und zitterten. Sie schlugen aus, trafen auf die Schrankwand, zuckten zurück und fanden schließlich Dragosanis Körper. Sie bohrten sich durch Kleidung und totes Fleisch tief in ihn hinein. Weitere wuchsen aus dem Egelkörper heraus, krümmten sich zu Widerhaken und krallten sich in Dragosanis Fleisch. Einer der Tentakel erreichte die Brusthöhle. Er verdickte sich rasch bis zum Durchmesser eines Männerhandgelenks. Die anderen ließen ihre Widerhaken zerfließen, zogen sich heraus und folgten dem dicken Tentakel in die Brust *hinein*. Laut saugend und schmatzend und mit einem endgültigen Knall, als platze ein Luftballon, verschwand das gesamte Lebewesen in Dragosanis Leiche. Sein Rumpf in dem Schrank fing an sich aufzubäumen und zu beben.

Während das alles ablief, war Gulharov weggehüpft und auf den Schreibtisch geklettert. Von oben herab kreischte er wie eine Frau und schrie halb artikulierte Schimpfwörter. Und er deutete auf irgend etwas.

Krakovic, vor Schreck und Entsetzen wie betäubt, sah, wie sich der platte Schlangenkopf des Blutegelwesens auf dem Fußboden bewegte, wie er zitterte und zappelte wie eine Flunder auf dem Trockenen.

Er schrie angeekelt auf, geriet in Panik, riß sich dann jedoch zusammen und unterdrückte seine Angst. Schließlich raffte er sich dazu auf, die Schranktür zu schließen und den Bolzen vorzuschieben.

Er riß eine Metallschublade an sich, die er vorher aus dem Schrank gezogen hatte, und schrie: »Helfen Sie mir endlich!«

Gulharov stieg von dem Schreibtisch herunter. Er hatte immer noch den Pflock in der Hand und klammerte sich förmlich an ihn. Damit schob er jetzt den zappelnden Kopf mühevoll in die Schublade, die Krakovic mit zitternden Händen hielt. Kaum war das Ding drinnen, da knallte Krakovic auch schon ein herumliegendes Regalbrett über die Öffnung, und Gulharov legte hastig noch zwei schwere Bücher obenauf. Trotzdem wackelte die Schublade mitsamt ihrer Last noch ein paar Sekunden lang, bevor Ruhe einkehrte.

Gulharov und Krakovic blickten sich an wie zwei Gespenster. Beide atmeten schwer und waren leichenblaß. Dann grollte Krakovic mit einem Mal, streckte den Arm aus und versetzte Gulharov eine schallende Ohrfeige. »Leibwächter?« schrie er. »Verdammt toller Leibwächter!« Er schlug noch einmal hart zu. »Verflucht nochmal!«

»Es ... es tut mir leid. Ich wußte nicht ...« Gulharov zitterte wie Espenlaub. Es sah aus, als würde er im nächsten Augenblick umkippen.

Krakovic beruhigte sich wieder. Er konnte dem jüngeren Mann nicht die gesamte Schuld zuschieben. »Ist schon gut«, beruhigte er ihn. »Alles in Ordnung. Aber jetzt hören Sie genau zu: Wir werden den Kopf hier oben verbrennen. Zu allererst, gleich jetzt! Gehen Sie schnell runter und holen Sie Flugbenzin. Es ist noch genug da!«

Gulharov wankte mit zitternden Knien hinaus.

Er war in Rekordzeit mit einem Kanister zurück. Sie schoben das Brett über der Schublade ein wenig zurück, so daß sie Flugbenzin hineingießen konnten. Drinnen rührte sich nichts. »Genug!« stellte Krakovic fest. »Noch mehr, und wir erleben die schönste Explosion. Helfen Sie mir jetzt, die Schublade ins andere Zimmer zu schaffen.« Kurze Zeit später waren sie zurück, und Krakovic leerte die Schubladen aus Borowitz' Schreibtisch auf den Fußboden. Er fand auch prompt, was er suchte: ein Bündel Paketschnur. Schnell schnitt er ein Stück von etwa drei Metern Länge ab, hängte es in den Benzinkanister, bis es sich vollgesaugt hatte, und im Nu waren sie wieder im Vorraum und er steckte das eine Ende durch einen Spalt in die Schublade mit dem Kopf. Anschießend legte er die Schnur in einer geraden Linie durch die Tür und weiter aus. Er nahm Gulharovs Streichhölzer, und beide hielten sich schützend die Hände vor die Augen, sobald er die improvisierte Zündschnur entzündet hatte.

Blaue Flammen huschten über den Fußboden und sprangen in die Schublade hinein.

Sie hörten einen dumpfen Schlag, und dann flogen Reste des Bretts, Bücher und alles andere durch die Luft, knallten an die Decke und fielen zurück zu Boden. In dem Metallkasten herrschte blankes Inferno, und mittendrin tanzte und hüpfte der platte Schlangenkopf – doch nicht lange. Als sich der Kasten unter der Hitze zu verformen begann und der Teppich darunter schwarz wurde und in Flammen ausbrach, blähte sich das Ding auf, platzte und schmolz rasch. Und dann brannten auch die letzten Reste. Die beiden Männer warteten aber nochmal eine Minute lang, bevor sie das Feuer erstickten.

Krakovic nickte knapp. »Also, nun wissen wir wenigstens, daß solch ein ... Ding brennt!« kommentierte er. »Es war vielleicht ohnehin schon tot, aber ich habe mal gelernt, daß ein Ding sich nicht mehr bewegt, wenn es tot ist!«

Dann schoben sie den Aktenschrank rumpelnd die Treppe hinunter, zwei Absätze weit ins Erdgeschoß und dann durch das verwüstete Haus und hinaus in den Hof.

Krakovic stand Wache, während Gulharov erneut loslief, um Benzin zu holen.

Als Gulharov zurückkam, sagte Krakovic: »Das wird jetzt eine schwierige Angelegenheit. Zuerst gießen wir das Zeug rund um den Schrank. Dann öffnen wir ihn – und falls der Inhalt ... sich rührt, springen wir einfach außer Reichweite zurück und werfen ein Streichholz. Bis es Ruhe gibt. Und so weiter ...«

Gulharov schien unsicher, aber nun war er wenigstens viel aufmerksamer als zuvor.

Sie gossen Benzin über und rund um den Schrank, und dann trat Gulharov ein Stück zurück, während Krakovic den Bolzen herauszog und die Tür rasselnd öffnete.

Drinnen starrte Dragosani zum Himmel empor. Sein Brustkorb bewegte sich ein wenig, aber das war alles. Als Krakovic vorsichtig damit begann, im Bereich der Füße des Leichnams Benzin hineinzugießen, trat Gulharov vor. »Nicht zuviel davon!« mahnte diesmal der Feldwebel zur Vorsicht. »Sonst geht das hoch wie eine Bombe!«

Als der Treibstoff schon beinahe drei Zentimeter hoch um Dragosanis unbewegliche Gestalt schwappte und Benzindunst die Luft erfüllte, hob sich plötzlich der Brustkorb des Toten mit einem kräftigen Ruck. Krakovic hörte mit dem Ausgießen auf, beobachtete die Leiche mißtrauisch und trat ein wenig zurück. Außerhalb des unmittelbaren

Gefahrenbereichs stand Gulharov mit einem Streichholz bereit. Eine schlüpfrig glänzende, grau-grüne Ranke erhob sich schwankend aus Dragosanis Brust. Die Spitze verdickte sich zu einem fast faustgroßen Knoten, auf dem sich langsam ein Auge bildete. Als Krakovic hineinblickte, war ihm klar, daß dahinter kein Gedanke, keine bewußte Intelligenz steckte. Der Blick war leer, starr, begriff nichts und zeigte keine Gefühlsregung. Krakovic bezweifelte, daß es überhaupt etwas sah. Es gab auf keinen Fall mehr ein Gehirn, dem es seine Botschaft zusenden konnte. Das Auge schmolz wieder zu Protofleisch und wurde durch kleine Kiefer ersetzt, deren Zähne sinnlos aufeinanderklapperten. Dann sank der Fühler wieder in die Brust zurück.

»Felix, gehen Sie weg!« Gulharov war nervös.

Krakovic zog sich aus dem Benzinkreis zurück. Gulharov riß das Streichholz an und warf es hinein. Einen Augenblick später tobte das Feuer in dem Metallschrank. Wie aus dem Schlund eines Düsentriebwerks auf dem Prüfstand fauchte ein blaues Flammenbündel in die kalte Winterluft – eine schimmernde Säule glühender Hitze. Und dann setzte sich Dragosani auf!

Gulharov packte Krakovic am Arm und klammerte sich an ihn. »Oh, Gott! Oh, Mutter – er lebt!« krächzte er.

»Nein!« Krakovic bestritt das vehement und riß sich los. »Das Ding in ihm lebt, aber es hat kein Hirn. Es handelt nur aus Instinkt heraus. Es will fliehen, aber es weiß nicht, wie oder überhaupt, wovor. Wenn Sie eine Seegurke aufspießen, spritzt sie ihren Inhalt aus. Kein Verstand, nur eine Reaktion. Sehen Sie! Sehen Sie nur! Es schmilzt!«

Und es schien tatsächlich so, als schmelze Dragosani. Qualm ringelte sich von seiner rußgeschwärzten Gestalt hoch, ganze Hautschichten wölbten sich ab und begannen zu brennen, sein Körperfett zerrann wie Wachs und wurde vom Feuer verschlungen. Das Ding innen drin spürte die Hitze und reagierte. Dragosanis Rumpf bebte, vibrierte, verkrampfte sich. Seine Arme schossen gerade hoch und fielen dann kraftlos herunter, um über die Seiten des Schrankes zu baumeln, während sie aber immer noch zuckten. Die Kleidung war mittlerweile völlig verbrannt. Die beiden Männer beobachteten schaudernd, wie das versengte Fleisch an vereinzelten Stellen aufbrach und kleine wippende Fühler herauskamen, die schnell schmolzen und deren Reste in die Flammen zurücksanken.

Nach kurzer Zeit sackte der Leichnam zusammen und lag still. Die Männer standen im Schnee und beobachteten das Feuer, bis es ausgebrannt war. Es dauerte rund zwanzig Minuten, doch sie blieben an Ort und Stelle ...

27. August 1977, 15 Uhr

Das große Londoner Hotel, das von Whitehall aus bequem zu Fuß zu erreichen war, enthielt einiges mehr, als sein Äußeres vermuten ließ. Das gesamte oberste Stockwerk war von einer »Gruppe internationaler Unternehmer« übernommen worden, und das war auch schon alles, was der Direktor des Hotels darüber wußte. Die Gesellschaft hatte ihren eigenen Aufzug im hinteren Teil des Gebäudes, eine eigene Treppe und sogar eine eigene Feuerleiter. Tatsächlich gehörte der Gesellschaft das Obergeschoß, das somit ganz der Kontrolle und dem Betrieb des Hotels entzogen war.

Kurz gesagt, war das Obergeschoß Hauptquartier des geheimsten aller britischen Geheimdienste, INTESP genannt, des britischen Äquivalents zu jenem russischen Dezernat, das in der Umgebung Moskaus im Schloß Bronnitsy untergebracht war. Das Hotel diente allerdings nur als Hauptquartier, und daneben gab es noch zwei »Fabriken«, eine in Dorset und die andere in Norfolk. Sie waren telefonisch direkt miteinander und mit dem Hauptquartier verbunden, hatten eigene Funktelefone, und ihre Computer waren miteinander vernetzt. Eine solche Verbindung konnte trotz der Höchstsicherheitsstufe durchaus eines Tages von einem cleveren Hacker geknackt werden. Man hoffte jedoch, daß bis dahin die Telepathen der Dienststelle schon so gut ausgebildet sein würden, um all diesen technologischen Kram überflüssig zu machen. Außerdem konnte der menschliche Gedanke viel detailliertere Informationen und Bilder übertragen – zumindest im Moment noch.

Daran mußte Alec Kyle denken, als er an seinem Schreibtisch saß und sich bemühte, die Einsatzbefehle für die sechs Offiziere des Sonderkommandos zu formulieren, deren einziger Lebenszweck darin bestehen würde, daß sie für die Sicherheit eines gerade einen Monat alten Kleinkindes zu sorgen hatten, eines Jungen namens Harry Keogh jr. – des zukünftigen Chefs der INTESP.

»Harry«, sagte Kyle laut und ins Leere hinein, »du kannst den Job auch jetzt schon haben, wenn du ihn immer noch willst.«

Nein, erklang die Antwort sofort und überraschend deutlich – in Kyles Gedanken. *Jetzt nicht, vielleicht auch gar nicht mehr!*

Kyle stand der Mund weit offen und er fuhr von seinem Drehstuhl hoch. Er wußte, was das zu bedeuten hatte, und er hatte etwas ganz Ähnliches bereits acht Monate zuvor erlebt. Es handelte sich um Telepathie, klar; aber es war auch mehr als nur das. Es ging von dem Kind aus, an das er gerade gedacht hatte, dem Kind, in dessen Geist all das weiterlebte, was von dem größten PSI-Talent der Welt noch übrig war: von Harry Keogh.

»Allmächtiger!« flüsterte Kyle. Und nun war ihm klar, worum es da gegangen war – in jenem Traum, oder besser Alptraum, letzte Nacht. Er war von Blutegeln übersät gewesen, so groß wie junge Kätzchen, die sich an ihm festgesaugt hatten, um sein Blut zu schlürfen, während er in einem Wald voller regungsloser Bäume wild herumgehüpft war und vor Angst geschnattert hatte, bis er zu schwach gewesen war, um sich noch länger zu wehren. Dann war er auf die Tannennadeln gestürzt und die Blutegel klebten immer noch an ihm und ihm war klar geworden, daß er selbst zu einem Egel wurde!

Und glücklicherweise hatte ihn diese Erkenntnis wachgerüttelt. Was die Bedeutung dieses Traumes betraf: Kyle hatte es längst aufgegeben, in solche hellseherischen Einblicke Bedeutungen hineinzulesen. Das war das Problem dabei: Sie waren in der Regel rätselhaft, und nur sehr selten konnte er sie deuten. Doch auf jeden Fall war ihm bewußt, daß es sich um einen *jener* Träume gehandelt hatte, und nun nahm er an, dieser Kontakt habe auch etwas damit zu tun.

»Harry?« hauchte er in die mit einem Mal eisige Atmosphäre des Raumes hinein. Sein Atem bildete tatsächlich eine kleine Wolke vor seinem Mund. Innerhalb weniger Sekunden war die Temperatur rapide gesunken. Genau wie letztes Mal.

Irgend etwas ballte sich in der Zimmermitte zusammen, gerade vor

Kyles Schreibtisch. Der Rauch seiner Zigarette hing dort, und nun wallte er auf und die Luft schien zu verschwimmen. Er stand auf, ging hastig zum Fenster und schloß die Jalousie. Im Raum wurde es düster, und die Gestalt, die vor seinem Schreibtisch schwebte, konkretisierte sich.

Kyles Sprechanlage summte hektisch und er fuhr erschrocken hoch. Er sprang zum Schreibtisch, drückte den Empfangsschalter, und eine atemlose Stimme sagte: »Alec, da ist irgend etwas im Haus!« Es war Carl Quint, ein hochempfindlicher Spitzen-Talentsucher.

Kyle drückte die Sprechtaste und hielt sie gedrückt. »Ich weiß. Es ist jetzt hier bei mir. Aber alles ist okay – ich hatte den Besuch geradezu erwartet.« Nun drückte er als nächstes die Rundruftaste und sprach zur gesamten Belegschaft des Hauptquartiers: »Kyle hier. Ich will von niemandem gestört werden, solange ... solange es eben dauert. Keine Nachrichten, keine Anrufe und keine Fragen. Hört mit, wenn es euch gefällt, aber versucht nicht, einzugreifen. Ich komme auf euch zurück.« Er drückte den Sicherheitsknopf auf der Tastatur seines Computers, und augenblicklich verriegelten sich klickend sämtliche Schlösser an Tür und Fenstern. Nun waren er und Harry Keogh wirklich allein miteinander.

Kyle zwang sich zu etwas Entspannung und starrte den – Geist? – Keoghs an, der ihm gegenüber vor dem Schreibtisch schwebte. Und ihm kam etwas Altes in den Sinn, ein Gedanke, der nie sehr fern gelegen hatte, seit seinem ersten Tag im Dienst von INTESP: *Was für eine komische Bande! Roboter und Romantiker. Superwissenschaft und das Übernatürliche. Telemetrie und Telepathie. Computerberechnete Wahrscheinlichkeitsmuster und Hellseherei. Technische Spielereien ... und Gespenster!*

Keine Gespenster, Alec, antwortete Keogh mit einem matten, geisterhaften Lächeln. *Ich glaubte, das hätten wir alles beim letzten Mal geklärt?*

Kyle dachte daran, sich selbst zu kneifen, ließ es aber bleiben. Das alles hatte er auch schon beim letzten Mal durchgemacht. »Letztes Mal?« sagte er laut, denn das fiel ihm leichter. »Aber das war vor acht Monaten, Harry. Ich begann schon zu glauben, daß wir nie wieder von Ihnen hören würden.«

Das hätten Sie vielleicht auch nicht, »sagte« der andere, dessen Lippen sich nicht bewegten, *denn glauben Sie mir, ich habe reichlich Beschäftigung! Aber ... es hat sich etwas ergeben.*

Kyles Scheu verflog langsam und sein Pulsschlag normalisierte sich. Er beugte sich auf dem Stuhl vor und musterte den anderen von Kopf bis Fuß.

Oh, ja, es war Keogh! Aber nicht genau der gleiche Mann wie beim letzten Mal. Damals war Kyles erster Gedanke gewesen, es handle sich um eine übernatürliche Erscheinung. Nicht einfach paranormal oder durch PSI-Kräfte erzeugt, sondern wirklich übernatürlich, überirdisch, nicht von dieser Welt. Genau wie jetzt hatten die Bürosensoren nichts bemerkt. Er war erschienen und hatte Kyle eine phantastische Geschichte erzählt, und war dann spurlos verschwunden. Nein, nicht ganz, denn er hatte alles niedergeschrieben, was er gehört hatte. Wenn er nur daran dachte, schmerzte sein Handgelenk schon wieder. Aber man konnte das Ding nicht fotografieren, die Stimme nicht aufnehmen, man konnte ihm nichts tun oder ihn irgendwie beeinflussen.

Das gesamte Hauptquartier lauschte jetzt Kyles Unterhaltung mit diesem ... mit Harry Keogh – und doch hörten sie lediglich Kyles Stimme. Aber Keogh war tatsächlich hier, das wurde zumindest vom Thermostaten der Zentralheizung bestätigt. Die Heizung war nämlich gerade angesprungen, um den plötzlichen Temperaturabfall auszugleichen. Ja, und Carl Quint wußte auch Bescheid.

Die Gestalt war von blaßblauem Lichtschein umrissen, immateriell wie ein Mondstrahl, weniger als eine Rauchwolke. Nicht körperlich, und doch voller Energie. Einer unglaublichen Energie.

Wenn man die Tatsache in Betracht zog, daß seine neonumkränzten Füße etwas über dem Fußboden schwebten, mußte Keogh etwa einen Meter fünfundsiebzig groß sein. Wäre sein Fleisch echt, anstatt aus leuchtenden Schlieren zu bestehen, hätte er wohl circa sechzig Kilo gewogen. Alles an ihm schimmerte nun leicht wie durch ein inneres Licht, so daß sich Kyle in Bezug auf die Hautfarbe nicht sicher war. Die Haare, ein unordentlicher Schopf, erschienen sandfarben; die schwachen Flecken auf dem Gesicht schienen Sommersprossen zu sein. Er mochte einundzwanzig, zweiundzwanzig Jahre alt sein.

Seine Augen waren interessant. Sie blickten Kyle an und schienen doch durch ihn hindurch zu sehen, als sei *er* das Gespenst und nicht umgekehrt. Sie waren blau, diese Augen – ein erstaunliches, beinahe farbloses Neonblau – aber darüberhinaus lag in diesen Augen etwas, das besagte, daß sie mehr wußten, als ein Zweiundzwanzigjähriger wissen durfte. Die Weisheit ganzer Epochen schien darin verborgen, das Wissen von Jahrhunderten lag unmittelbar unter dem dünnen, blauen Film, der sie bedeckte.

Davon abgesehen wirkten seine Züge schön wie blaues Porzellan und ebenso zerbrechlich. Seine Hände waren schmal und die Finger spitz, die Schultern hingen ein wenig. Seine Haut war, von den Sommersprossen abgesehen, blaß und makellos. Wenn da nicht diese Augen gewesen wären, hätte man ihn auf der Straße keines zweiten Blickes gewürdigt. Er war einfach ... ein junger Mann. War einer gewesen.

Und jetzt? Jetzt war er einiges mehr. Harry Keoghs Körper besaß nun keine reale, physische Existenz mehr, doch sein Geist lebte weiter. Und dieser Geist hatte eine Heimstätte gefunden in einem neuen – buchstäblich neuen Körper.

Kyle ertappte sich dabei, wie er begann, über *diesen* Aspekt der Erscheinung nachzudenken, und er nahm sich schnell zusammen. Was gab es dabei auch viel zu überlegen? Auf jeden Fall konnte das warten, war nicht wichtig. Nur eines spielte eine Rolle: daß Keogh sich jetzt hier befand, und daß er etwas Wichtiges zu sagen hatte.

»Es hat sich etwas ergeben?« Kyle wiederholte die Bemerkung von Keoghs Erscheinung und machte eine Frage daraus. »Was ist denn dieses Etwas, Harry?«

Etwas Monströses! Im Augenblick kann ich es nur ungefähr umreißen – ich weiß einfach nicht genug darüber, noch nicht genug. Aber erinnern Sie sich noch daran, was ich Ihnen über das russische E-Dezernat sagte? Und über Dragosani? Ich weiß, daß Sie keine Möglichkeit hatten, alles zu überprüfen, aber haben Sie überhaupt in dieser Sache recherchiert? Glauben Sie das, was ich Ihnen über Dragosani berichtete?

Während Keogh ihm das alles sagte, blickte Kyle fasziniert auf die Einzelheit, in der sich der andere von dem unterschied, was er beim letzten Mal erblickt oder gespürt hatte. Denn nun überlagerte etwas Keoghs Abbild in der Bauchgegend, wobei es sich noch innerhalb des

Körpers um die eigene Achse drehte: Dort schwebte ein nacktes Baby, ein Junge, oder der Geist eines Jungen, genauso wenig stofflich wie Keogh selbst. Das Baby war wie ein Foetus eingerollt und trieb in einer unsichtbaren, aufgewühlten Flüssigkeit, wie ein Ausstellungsstück in einem Naturkundemuseum oder wie ein Hologramm. Doch es war ein echtes Baby und durchaus quicklebendig. Kyle wußte, daß es ebenso Harry Keogh war wie der erwachsene Mann.

»Über Dragosani?« Kyle fiel zurück auf den Boden der Wirklichkeit. »Ja, ich glaube Ihnen. Ich muß es Ihnen glauben! Ich habe soviel überprüft, wie es mir möglich war, und alles stimmte genau mit dem überein, was Sie mir gesagt hatten. Und was Borowitz' Dezernat betrifft – was Sie dort angerichtet haben, muß absolut vernichtende Auswirkungen gehabt haben! Sie haben eine Woche später mit uns Kontakt aufgenommen, die Russen, und fragten an, ob wir Sie ... ich meine ...«

Meine Leiche?

»... ob wir sie zurückhaben wollten, ja. Sie haben *mit uns* Verbindung aufgenommen, verstehen Sie? Direkt. Nicht durch irgendwelche diplomatischen Kanäle. Sie waren allerdings nicht bereit, zuzugeben, daß sie wirklich existierten. Sie haben auch von uns nicht erwartet, daß wir unsere Existenz zugeben. Also haben Sie auch nicht existiert, doch trotzdem fragten sie an, ob wir Sie zurückhaben wollten. Da Borowitz nicht mehr lebt, haben sie einen neuen Chef, Felix Krakovic. Er sagte, wir bekommen Sie zurück, wenn wir ihm eine Erklärung geben könnten, wie Sie das anstellten, was Sie bei ihnen angerichtet haben. *Was* genau Sie eigentlich getan hätten. Tut mir leid, Harry, aber wir mußten ableugnen, Sie zu kennen. Tatsächlich haben *wir* sie ja auch gar nicht gekannt, nur ich und vor mir Sir Keenan! Hätten wir aber zugegeben, daß Sie zu uns gehörten, hätte man das als kriegerischen Akt auslegen können, was Sie getan haben.«

In Wirklichkeit war es das blanke Chaos! sagte Keogh. *Hören Sie, Alec, diesmal geht es nicht so wie beim letzten Mal, als wir miteinander sprachen. Ich habe möglicherweise nicht genug Zeit. Auf der metaphysischen Ebene bin ich relativ frei. Im Moebius-Kontinuum kann ich mich völlig frei bewegen. Doch im physischen Jetzt und Hier bin ich praktisch ein Gefangener im Körper des kleinen Harry. Im Augenblick schläft er, und ich kann seinen unterbewußten Geist als meinen eigenen benutzen. Aber wenn er wach ist, gehört sein Verstand ganz ihm selbst, und ich werde wie von einem Magneten hineingezogen. Je stärker er wird – je mehr sein Verstand hinzulernt – desto geringer wird mein Spielraum. Irgendwann werde ich gezwungen sein, ihn ganz zu verlassen und ausschließlich im Moebius-Raum zu leben. Sollte ich die Möglichkeit haben, werde ich Ihnen das alles später einmal erklären, aber im Moment wissen wir nicht, wie lange er schläft, also müssen wir uns die Zeit gut einteilen. Und was ich zu sagen habe, kann nicht warten!*

»Und das betrifft Dragosani?« Kyle runzelte die Stirn. »Aber Dragosani ist doch tot. Das haben Sie mir selbst gesagt.«

Keoghs Miene – die Miene seiner Erscheinung – war jetzt sehr ernst. *Erinnern Sie sich daran, was er war, dieser Dragosani?*

»Er war Nekromant«, erwiderte Kyle wie aus der Pistole geschossen, und es lag keine Spur eines Zweifels in seinen Gedanken. »Ähnlich wie Sie.«

Er bemerkte seinen Fehler im gleichen Augenblick und hätte sich auf die Zunge beißen können.

Nicht so wie ich! verbesserte Keogh ihn. *Ich war und ich bin ein Necroscope, kein Nekromant! Dragosani hat die Geheimnisse der Toten gestohlen wie ... wie ein wahnsinniger Zahnarzt, der gesunde Zähne – ohne Betäubung – herausreißt! Was mich betrifft: Ich spreche mit den Toten und respektiere sie. Und sie respektieren mich. Aber schon gut, mir ist klar, daß das nur ein Versprecher war. Ich weiß, Sie haben es nicht so gemeint. Also, ja, er war Nekromant. Doch weil dieses alte Wesen im Grab ihm etwas angetan hat, war er mehr als nur das. Er war viel schlimmer.*

Natürlich.

Jetzt erinnerte sich Kyle daran. »Sie wollen damit sagen, daß er auch ein Vampir war.«

Keoghs schimmerndes Ebenbild nickte. *Genau das ist es. Und deshalb bin ich auch gekommen. Wissen Sie, Sie sind wahrscheinlich der einzige auf der Welt, der etwas dagegen unternehmen kann. Sie und Ihr Dezernat, und vielleicht Ihre russischen Kollegen. Und sobald Sie wissen, wovon ich spreche, müssen Sie beginnen, etwas zu unternehmen!*

So eindringlich sprach Keogh mit Kyle, soviel Mahnendes lag in seiner mentalen Stimme, daß Kyle eine Gänsehaut den Rücken hinablief. »Wogegen soll ich etwas unternehmen, Harry?«

Gegen den Rest von ihnen, antwortete die Erscheinung. *Sie müssen wissen,*

Alec, daß Dragosani und Thibor Ferenczy nicht die einzigen waren! Und Gott allein weiß, wie viele von ihnen frei herumlaufen!

»Vampire?« Kyle war entsetzt. Er erinnerte sich noch zu gut daran, was ihm Keogh vor etwa acht Monaten berichtet hatte. »Sind Sie sicher?«

Aber ja. Im Moebius-Kontinuum – als ich durch die Tore der Vergangenheit und der Zukunft blicken durfte – habe ich ihre blutigen Spuren entdeckt. Ich hätte nichts davon bemerkt, hätte sie vielleicht niemals angetroffen, wenn sie nicht den Lebensfaden meines jungen Harry kreuzten! Ja, und auch Ihr Lebensfaden überschneidet sich mit den ihren, Alec.

Als er das vernahm, stach etwas wie eine eiskalte psychische Klinge in Kyles Herz. »Harry«, stammelte er, »Sie ... besser, Sie sagen mir jetzt alles, was Sie wissen und was ich unternehmen soll.«

Ich sage Ihnen, was ich kann, und dann versuchen wir, zu entscheiden, was zu tun ist. Und falls Sie wissen wollen, wie ich zu meinen Erkenntnissen gekommen bin ... Die Erscheinung zuckte die Achseln. *Ich bin eben ein Necroscope, denken Sie daran. Ich habe mit Thibor Ferenczy selbst gesprochen, wie ich es ihm einst versprochen hatte, und ich habe mich mit einem weiteren von ihnen unterhalten. Einem Opfer aus jüngster Zeit. Mehr davon später. Aber vor allem ist dies Thibors Geschichte ...*

ZWEITES KAPITEL

Der Uralte in der Erde zitterte ein ganz klein wenig, schauderte und bemühte sich, in seinen seit urdenklichen Zeiten andauernden Traum zurückzufinden. Irgend etwas störte ihn, drohte, ihn aus dem dunklen Schlaf zu erwecken, doch dieser Schlaf war zu einer Gewohnheit geworden, die – beinahe – alle seine Bedürfnisse befriedigte.

Er klammerte sich an seine schrecklichen Träume von Wahnsinn und Chaos, von der Hölle des Lebens und dem Entsetzen des Sterbens, von den Freuden des Blutes, des Blutes, des Blutes – und spürte die kalte Umarmung der verkrusteten Erde, die ihn einschloß, die ihn hinunterdrückte, die ihn in seinem düsteren Grab festhielt. Und doch war diese Erde etwas Vertrautes und enthielt keinen Schrecken mehr für ihn. Die

Dunkelheit war die eines verdunkelten Zimmers oder eines tiefen Gewölbes, eine undurchdringliche Düsternis, die zu ihm gehörte, denn die bedrohliche Natur und Lage seines Mausoleums isolierte ihn nicht nur von der Welt, sondern schützte ihn auch davor. Hier war er in Sicherheit, wohl für immer verflucht, falls nicht irgendein wundersames Eingreifen der Schöpfung alles änderte, aber auch sicher, und diese Sicherheit hatte einiges für sich.

Er war sicher vor jenen Menschen – bloß Menschen, und zumeist nicht mehr – die ihn hierher verbannt hatten. Denn während seiner andauernden Träume hatte das verschrumpelte Ding im Boden vergessen, daß diese Menschen schon lange nicht mehr lebten. Auch die Söhne jener Männer waren längst gestorben. Und auch deren Söhne, und deren ...

Das uralte Ding unter der Erde hatte fünfhundert Jahre lang gelebt und noch einmal so lang untot in seinem unheiligen Grab geruht. Über ihm, im Dunkel einer Lichtung zwischen unbeweglichen, schneebeladenen Bäumen, bezeugten die umgestürzten Steine und Platten seines Grabes einiges von seiner Geschichte, doch nur das Ding selbst wußte alles. Sein Name ... doch nein, die Wamphyri haben keine wirklichen Namen. Sein Wirtskörper hatte Thibor Ferenczy geheißen, und anfangs war Thibor ein Mann gewesen. Doch das lag beinahe tausend Jahren zurück.

Der Teil des Dings unter der Erde, der Thibor war, existierte auch noch, aber verändert, mutiert, durch eine lange Metamorphose mit seinem vampirischen »Gast« untrennbar verbunden. Die beiden waren nun eins, doch in seinen ein Jahrtausend währenden Träumen konnte Thibor immer noch zu seinen Wurzeln zurückkehren, zurück in eine unglaublich grausame Vergangenheit.

Ganz am Anfang war er kein Ferenczy gewesen, sondern ein Ungar, obwohl das nun keine Rolle mehr spielte. Seine Ahnen waren Bauern, die aus einem ungarischen Fürstentum jenseits der Karpaten eingewandert waren und sich am Ufer des Dnjestr niedergelassen hatten, am Unterlauf des Stroms, der sich ins Schwarze Meer ergoß. Doch »niedergelassen« konnte man eigentlich dazu nicht sagen. Sie mußten sich auf dem Fluß mit Wikingern herumschlagen (den fürchterlichen

Varyagi), die auf ihren Beutezügen vom Schwarzen Meer heraufgekommen waren, gegen Chasaren und Magyaren kämpfen, die aus der Steppe einfielen, und schließlich gegen die wilden Stämme der Petschenegen, die sich stetig nach Westen und Norden ausbreiteten.

Zu jener Zeit war Thibor ein junger Mann gewesen, als die Petschenegen die primitive Siedlung auslöschten, die er seine Heimat nannte. Er allein hatte den Überfall überlebt. Danach war er nach Norden geflohen, nach Kiew.

Ein richtiger Bauer war er nie gewesen. Tatsächlich eignete er sich viel mehr zum Krieger, denn sein großer Wuchs ließ ihn in Zeiten, da die meisten Menschen klein waren, wie einen wahrhaften Riesen erscheinen. So begab sich Thibor, der Wallache, in Kiew in den Dienst Wladimirs des Ersten.

Der Wlad ernannte ihn zum Woiwoden, zum Anführer einer Hundertschaft von Soldaten. »Geh nach Süden und schließe dich meinen Bojaren an«, befahl er. »Halte die Petschenegen zurück und töte sie, wo immer du kannst. Sie dürfen den Maros nicht überschreiten. Im Namen unseres neuen Christengottes verleihe ich dir den Titel und das Abzeichen des Thibor von der Wallachei!« Thibor hatte sich ihm angeschlossen, als der Wlad sich in einer verzweifelten Lage befand, soviel war klar.

In seinem Traum wußte das Ding unter der Erde noch genau, was er geantwortet hatte: »Titel und Abzeichen könnt Ihr behalten, mein König – aber gebt mir hundert Mann mehr, und ich werde für Euch tausend Petschenegen töten, bevor ich nach Kiew zurückkehre. Jawohl, und ich bringe Euch ihre Daumen, um es zu beweisen!«

Er erhielt seine zusätzlichen hundert Mann und, obwohl er es nicht wollte, sein Abzeichen, einen goldenen Drachen, der mahnend einen Vorderlauf hob.

»Der Drache des wahren Christos, den uns die Griechen gebracht haben«, hatte der Wlad ihm gesagt. »Nun wacht dieser Drache über das christliche Kiew – sogar über Rußland – und er spricht von deinem Banner herab mit der Stimme Gottes! Welches eigene Zeichen werdet Ihr seinem Namen hinzufügen?«

Das Gleiche hatte er an diesem Morgen ein halbes Dutzend anderer

Möchtegern-Verteidiger seines Reiches gefragt – fünf Bojaren mit ihrem eigenen Anhang und eine Bande von Söldnern. Diese alle hatten ein Abzeichen erwählt, das neben dem Drachen für sie stehen sollte. Nur Thibor nicht.

»Herr, ich bin kein Bojare«, hatte Thibor ihm achselzuckend gesagt. »Das heißt nicht, das Haus meines Vaters kannte keine Ehre, denn es war ein ehrenhaftes Haus und von einem ehrlichen Mann erbaut – doch in keiner Weise adlig. In meinen Adern fließt kein Blut eines Adligen, eines Prinzen. Wenn ich mir ein Ehrenzeichen verdient habe, werde ich es über Euren Drachen setzen.«

»Ich bin nicht sicher, ob Ihr mir wirklich zusagt, Wallache.« Der Wlad hatte die Stirn gerunzelt und fühlte sich in der Gesellschaft dieses grimmigen, mächtigen Mannes vor ihm nicht wohl. »Eure Stimme erklingt ein wenig zu laut für ein Herz, das noch nicht erprobt wurde. Doch ...« und nun hatte auch er die Achseln gezuckt, »... es sei. Wählt Euch ein eigenes Abzeichen, wenn Ihr siegreich zurückkehrt. Und, Thibor – bringt mir diese Daumen, oder ich werde Euch an Euren eigenen Daumen aufhängen!«

Und zu Mittag jenes Tages waren sieben bunt zusammengewürfelte Haufen Männer von Kiew aufgebrochen, um die unter Belagerung stehenden Verteidigungsposten am Maros zu entsetzen.

Ein Jahr und einen Monat später kehrte Thibor mit fast allen seinen Soldaten zurück, zuzüglich weiterer achtzig, die er aus den in den niederen Hügeln und Tälern des südlichen Wardein versteckten Bauern und deren Söhnen rekrutiert hatte. Er bat nicht um eine Audienz, sondern betrat ungeladen die Kirche des Wlad, in der dieser gerade betete. Seine erschöpften Männer ließ er draußen und brachte nur einen kleinen Sack mit, in dem es klapperte. So näherte er sich Prinz Wladimir Swiatoslawitsch während dessen Gebet und wartete, bis dieser damit fertig war. Hinter ihm verharrten die Adligen Kiews betreten, bis ihr Prinz ihn bemerkte.

Endlich wandten sich der Wlad und seine griechischen Mönche Thibor zu. Er bot einen furchteinflößenden Anblick. Thibor war von der Erde der Felder und Wälder beschmutzt; erdfarben war der ganze Mann, der außerdem eine frisch verheilte Narbe hoch an seiner rechten

Wange aufwies, die sich bis zur Mitte seines Unterkiefers hinzog. Ein blasser Streifen vernarbter Haut, der so tief war, daß er beinahe die blanken Knochen bloßlegte. Er war als Bauernsohn fortgegangen, doch als etwas ganz anderes zurückgekehrt. Stolz wie ein Habicht, die Nase, unter den buschigen, fast zusammengewachsenen Augenbrauen, wie ein Haken gekrümmt, so blickte er seinen Herrn ohne einen einzigen Wimpernschlag aus gelben Augen an. Er hatte sich einen Schnurrbart und einen spärlichen, krausen Kinnbart zugelegt, trug das Rüstzeug eines Petschenegen-Häuptlings, gold- und silberverbrähmt, und einen edelsteinbesetzten Ohrring im linken Ohrläppchen. Den Kopf hatte er rasiert, bis auf schwarze Stirnlocken, die zu beiden Seiten über seine Schläfen hingen, wie das bei gewissen Adligen der Brauch war. An seiner stolzen Haltung war kein Anzeichen einer Ehrfurcht zu erkennen, weil er an einem heiligen Ort stand. Seine Umgebung schien für ihn keine Rolle zu spielen.

»Nun erkenne ich Euch«, zischte der Wlad. »Ihr seid Thibor, der Wallache. Fürchtet Ihr den wahren Gott nicht? Bebt Ihr nicht vor dem Kreuze Christos'? Ich habe für Eure Erlösung gebetet, und Ihr ...«

»Und ich habe sie Euch gebracht.« Thibors Stimme klang tief und traurig. Er leerte seinen Sack auf die Steinplatten. Die Gefolgsleute des Prinzen und die Adligen Kiews, die in respektvollem Abstand von jenem standen, der sie regierte, keuchten verstört und starrten. Blanke Knochen klapperten in einem Häufchen vor die Füße des Wlads. »Was ist das?« Die Worte blieben ihm fast im Hals stecken. »Was?«

»Daumen«, sagte Thibor. »Ich ließ das Fleisch zuerst abkochen, damit Euch ihr Gestank nicht abstößt. Die Petschenegen sind zurückgeschlagen, zwischen Dnjestr, Bug und dem Meer eingeschlossen. Euer Bojarenheer hält sie zurück. Ich hoffe, sie können auch ohne mich und die Meinen mit ihnen fertigwerden. Ich habe gehört, daß die Polen aus dem Osten wie der Wind einherstürmen, und auch im Land der Türken erwächst ein Heer für den Kriegszug!«

»Ihr habt gehört? *Ihr* habt gehört? Und seid Ihr denn nunmehr ein mächtiger Woiwode? Habt Ihr Euch zum Ohr Wladimirs gemacht? Und was meint Ihr mit »mich und die Meinen«? Diese zweihundert Männer, die Ihr mit Euch nahmt, gehören mir!«

Bei diesen Worten atmete Thibor tief durch. Er trat vor – blieb jedoch wieder stehen. Dann verbeugte er sich tief, wenn auch wenig elegant, und verkündete: »Selbstverständlich gehören sie Euch, mein Prinz. Genau wie die vier mal zwanzig Flüchtlinge, die ich gesammelt und zu Männern erzogen habe. Alle sind Euer. Was die Tatsache betrifft, daß ich Euer Ohr bin – nun, sollte ich etwas Falsches vernommen haben, möge ich auf der Stelle taub werden! Doch meine Arbeit im Süden ist beendet, und ich glaubte, Ihr könntet mich hier besser gebrauchen. In Kiew gibt es dieser Tage nur wenige Soldaten, und die Grenzen sind lang ...«

Der Blick des Wlad blieb verschleiert. »Die Petschenegen sind gestellt, sagt Ihr – nehmt Ihr den Ruhm dafür in Anspruch?«

»In aller Bescheidenheit. Dafür – und für mehr.«

»Und Ihr habt meine Männer zu mir zurückgeführt – ohne Verluste?«

»Eine Handvoll sind gefallen.« Thibor zuckte die Achseln. »Doch ich habe achtzig neue für Euch angeworben, um die Gefallenen zu ersetzen.«

»Zeigt sie mir!«

Sie schritten zu der hohen Tür und hinaus auf die breiten Stufen vor der Kirche.

Auf dem Platz davor warteten Thibors Männer schweigend, einige beritten, doch die meisten zu Fuß, alle bis an die Zähne bewaffnet und wild aussehend. Es war der gleiche traurige Haufen, den der Wallache weggeführt hatte, aber traurig wirkte er nun keineswegs mehr. Von drei hohen Flaggenstöcken wehte sein Banner: der goldene Drache, und auf dessen Rücken eine schwarze Fledermaus mit Augen wie aus Karneol. Der Wlad nickte. »Euer Abzeichen«, bemerkte er, womöglich ein wenig verdrießlich. »Eine Fledermaus.«

»Die schwarze Fledermaus der Wallachen, jawohl«, ergänzte Thibor.

Einer der Mönche meldete sich zu Wort: »Aber auf dem Rücken des Drachen?«

Thibor entgegnete mit einem wölfischen Grinsen: »Wollt Ihr, daß der Drache auf meine Fledermaus pißt?«

Die Mönche zogen den Prinzen zur Seite, während Thibor wartete.

Er konnte nicht verstehen, was sie sagten, aber er hatte es sich seither oft genug ausgemalt: *»Diese Männer halten absolut loyal zu ihm. Seht, wie stolz sie unter seinem Banner stehen!«* sagte der Älteste der Mönche auf seine hinterhältige griechische Art. *»Er könnte Euch lästig werden.«*

Und Wlad: *»Macht Ihr Euch Gedanken deshalb? Ich habe im Augenblick fünfmal so viele in der Stadt.«*

Die Griechen: *»Aber diese Männer sind schlachtenerprobt – es sind alles erfahrene Krieger!«*

Wlad: *»Was meint Ihr? Sollte ich sie fürchten? In mir fließt das Blut der Varyagi, und ich fürchte niemanden!«*

Die Griechen: *»Selbstverständlich nicht. Aber ... er verhält sich wie einer höheren Ranges, dieser Mann. Können wir ihm nicht eine neue Aufgabe zuweisen – ihm und einer Handvoll seiner Männer – und den Rest hier behalten, um die Verteidiger der Stadt zu verstärken? Auf diese Weise wird sich in seiner Abwesenheit die Loyalität seiner Männer Euch zuwenden!«*

Und nach diesen Worten zogen sich die Augen des Wladimir Swiatoslawitsch noch mehr zusammen. Dann – sein zustimmendes Nicken. *»Ich weiß genau das Richtige. Ja, und ich glaube, Ihr habt recht. Es ist am besten, wenn wir ihn loswerden. Diese Wallachen sind ein hinterhältiges Pack. Halten mächtig zusammen ...«* Und dann sagte er laut zu dem Woiwoden: »Thibor, heute abend werde ich Euch im Schloß ehren. Euch und fünf Eurer besten Männer. Dann könnt Ihr mir von Euren Siegen berichten. Aber es werden Damen anwesend sein, also seht zu, daß Ihr gewaschen seid und laßt Euer Rüstzeug in Euren Quartieren und Zelten zurück.«

Mit einer steifen, angedeuteten Verbeugung zog sich Thibor zurück, schritt die Stufen zu seinem Roß hinunter und führte seine Männer weg. Auf sein Kommando schlugen sie beim Verlassen des Platzes ihre Waffen gegeneinander und riefen scharf und hallend im Chor: »Prinz Wladimir!« Dann verschwanden sie in den Herbstmorgen hinein. Sie befanden sich in Kiew, das man auch als die ›Stadt am Rande der Wälder‹ bezeichnete.

Trotz der Störung, trotz des unbekannten Eindringlings, träumte das Ding unter der Erde weiter. Bald würde die Nacht anbrechen, und für

Thibor war die Nacht dasselbe wie für einen Hahn der frühe Morgen, doch im Augenblick träumte er noch.

An diesem Abend hatte Thibor im mächtigen Schloß – jeder Raum ausgestattet mit offenen Kaminen, in denen Feuer prasselten, die mit aromatischen Essenzen zum Duften gebracht wurden – saubere, wenn auch gewöhnliche Kleidung angelegt, und darüber hatte er eine prachtvolle rote Robe getragen, die er einem hochrangigen Petschenegenfürsten abgenommen hatte. Er hatte sich gewaschen und parfümiert, seine Haut war wie gegerbtes Leder, und seine Stirnlocken hatte er frisch eingefettet. Er bot einen beeindruckenden Anblick. Auch seine Offiziere hatten sich herausgeputzt. Obwohl sie ihn offensichtlich verehrten und fürchteten, sprach er mit einiger Vertrautheit zu ihnen, war galant zu den Damen und aufmerksam dem Wlad gegenüber.

Es war möglich (so sagte sich Thibor später), daß der Prinz gespaltene Gefühle empfand. Der Wallache hatte sich als großer Krieger herausgestellt und war gewiß ein Woiwode. Es wäre nur recht und billig, ihn zum Bojaren zu ernennen und ihm eigenes Land zu verleihen. Ein Mann wird noch leidenschaftlicher kämpfen, wenn er sein Eigentum beschützen muß. Aber es war etwas Düsteres an Thibor, das der Wlad beunruhigend fand. Also hatten seine griechischen Ratgeber möglicherweise recht.

»Berichtet mir nun, wie Ihr mit den Petschenegen verfahren seid, Thibor von der Wallachei«, befahl Wladimir schließlich, als alles beim Essen saß.

Die Speisen waren vielfältig: griechische Würste, in Weinblätter gewickelt; Braten nach Wikingerart; Gulasch, das in großen Kesseln dampfte. Met und Weine wurden in mächtigen Kannen aufgetischt. Alle am Tisch stachen mit ihren Messern in dampfendes Fleisch.

Inmitten des allgemeinen Geklappers und der übrigen Essensgeräusche kam es von Zeit zu Zeit zu kurzen Unterhaltungsausbrüchen. Doch Thibors Stimme, obwohl er sie kaum erhob, drang durch all diesen Lärm hindurch. Und langsam wurde es stiller an der großen Tafel.

»Die Petschenegen greifen in größeren Gruppen oder sogar nach Stämmen geordnet an. Sie bilden kein großes Heer. Es herrscht kaum Einigkeit, denn sie haben ihre eigenen Häuptlinge, die miteinander konkurrieren. Die Wälle und Befestigungen am Maros – am Rand der bewaldeten Steppe – haben sie aufgehalten, weil sie eben nicht richtig zusammenstehen. Kämen sie als geschlossenes Heer, hätten sie den Fluß und die Festungen an einem einzigen Tag überrannt und alles vor sich hergetrieben. Aber sie greifen unsere Verteidigungstellungen lediglich vereinzelt an, und sie geben sich mit dem zufrieden, was sie in kleinen, begrenzten Überfällen im Osten und Westen erbeuten können. Auf diese Weise plünderten sie Kolomyja an der westlichen Flanke. Sie überquerten den Prut bei Tag, schlichen sich in den Wäldern an, ruhten bei Nacht und griffen im ersten Morgengrauen an. So schieben sie sich langsam weiter vor.

Und so sah ich die Lage: Weil es Verteidigungstellungen gibt, werden sie von unseren Soldaten auch benutzt; wir verstecken uns dahinter. Die Wälle dienen als Grenze. Wir gaben uns damit zufrieden, zu sagen: ›Südlich dieser Wälle liegt das Gebiet der Petschenegen, und wir müssen sie abwehren‹. Und so kommt es, daß der Petschenege, obwohl er ein Barbar ist, *uns* in Wirklichkeit belagert! Ich habe auf den Wällen unserer Festungen gesessen und zugeschaut, wie unsere Feinde unbehelligt ihr Lager aufschlagen konnten. Der Rauch ihrer Lagerfeuer steigt ungestört in den Himmel, weil wir sie auf ›ihrem eigenen Boden‹ nicht belästigen.

Als ich Kiew verließ, Prinz Wladimir, habt Ihr gesagt: ›Wehrt die Petschenegen ab, verhindert, daß sie den Maros überschreiten‹. Aber ich entgegnete: ›Verfolgt die Unholde und tötet sie!‹

Eines Tages entdeckten wir eines ihrer Lager. Es waren etwa zweihundert; sie hatten sogar ihre Weiber und Kinder dabei! Das Lager befand sich jenseits des Flusses, im Westen, ein gutes Stück weit von den anderen Lagern entfernt.

Ich teilte meine zweihundert Soldaten in zwei gleichgroße Trupps. Die Hälfte überquerte in der Abenddämmerung mit mir den Fluß. Wir schlichen uns an die Lagerfeuer der Petschenegen heran. Sie hatten Wachen aufgestellt, doch die meisten davon schliefen – und wir schnitten ihnen die Kehlen durch, bevor sie überhaupt wußten, wer sie tötete!

Dann umzingelten wir ihr Lager – völlig lautlos. Meine Männer hatten sich mit Schlamm eingeschmiert. Jeder saubere Mann war ein Petschenege.

Im Schutz der Dunkelheit töteten wir sie alle. Wir huschten von Zelt zu Zelt. Wir waren wie große Fledermäuse in der Nacht, und es war eine äußerst blutige Angelegenheit.

Als man im Lager aufmerksam wurde, war bereits die Hälfte von ihnen tot. Der Rest verfolgte uns. Wir lockten sie zum Maros zurück, und sie jagten uns, wollten uns am Fluß stellen, schrien und kreischten ihre Kriegsrufe! Wir schrien überhaupt nicht. Am Fluß, und zwar auf der Seite der Petschenegen, warteten gut versteckt meine anderen hundert Soldaten. Auch sie hatten sich mit Schlamm eingerieben. Sie schlugen nicht gegen ihre schweigenden, schlammtriefenden Brüder zu, sondern ließen die heulenden Verfolger in die Falle laufen.

Dann kehrten wir um, griffen die Petschenegen an und töteten sie bis zum letzten Mann. Und wir schnitten ihnen die Daumen ab ...« Er schwieg einen Moment lang.

»Bravo«, kommentierte der Prinz lahm.

»Ein andermal«, fuhr Thibor fort, »zogen wir nach Kamenetz, das belagert wurde. Wieder nahm ich die Hälfte meiner Männer mit. Die Belagerer der Stadt entdeckten und verfolgten uns. Wir führten sie in einen Hohlweg mit steilen Seitenwänden, und dort – nachdem wir hindurchgerannt waren – ließen meine anderen Männer eine Steinlawine auf die Petschenegen herabregnen. Damals verlor ich leider viele Daumen, da die Krieger unter den Steinen verschüttet lagen. Sonst hätte ich Euch noch einen Sack voll mitgebracht!«

Nun herrschte an der Tafel fast vollständiges Schweigen. Das lag nicht so sehr daran, daß Thibor diese Erlebnisse berichtete, sondern viel eher an der nüchternen, emotionslosen Art, wie er erzählte. Als die Petschenegen die Siedlung dieses Ungarn überfallen, ausgeraubt und zerstört hatten, hatten sie ihn zu einem absolut gnadenlosen Richter gemacht.

»Ich erhielt selbstverständlich meine Berichte«, brach Swiatoslawitsch das Schweigen, »wenn diese auch ein wenig ungenau waren, und außerdem waren es nur ein paar und in größeren Zeitabständen. Aber Ihr gebt mir einiges zu denken. Also haben meine Bojaren die Petschenegen zurückgeschlagen, sagt Ihr? Eine ganz neue Entwicklung. Vielleicht haben sie Euch einiges abgeschaut, ja?«

»Sie haben gelernt, daß es nichts bringt, hinter hohen Mauern Wache zu stehen!« sagte Thibor. »Ich sprach mit ihnen und sagte: ›Der Sommer geht zu Ende. Die Petschenegen weit im Süden haben Fett angesetzt, weil sie so wenig Arbeit hatten; sie glauben nicht, daß wir sie jemals angreifen werden. Sie bauen feste Siedlungen, Winterquartiere für ihre Leute. So wie zuvor die Chasaren, legen sie das Schwert beiseite und ergreifen den Pflug. Wenn wir jetzt zuschlagen, fallen sie wie das Gras unter der Sichel!‹ Dann schlossen sich alle Bojaren zusammen, überschritten den Fluß und schlugen bis tief hinein in die südliche Steppe zu. Wir töteten die Petschenegen, wo wir sie antrafen.

Doch zu jener Zeit hatte ich bereits Gerüchte gehört, daß sich eine größere Gefahr zusammenbraut: Im Osten erheben sich die Polen! Sie kommen aus den Steppen und Wüsten und breiten sich nach Westen aus – bald werden sie vor unserer Haustür stehen. Als die Chasaren fielen, machten sie Platz für die Petschenegen. Und nach den Petschenegen? Deshalb dachte ich mir – wagte ich mir auszumalen – daß mir der Wlad womöglich ein Heer anvertraut und mich nach Osten schickt, um diesen Feind niederzuschlagen, bevor er zu stark wird ...«

Eine Weile lang saß Prinz Wladimir lediglich da und blickte ihn aus halb geschlossenen Augen an. Dann sagte er leise: »Ihr seid in einem Jahr und einem Monat weit gekommen, Wallache ...« Und zu seinen Gästen sagte er laut: »Eßt! Trinkt! Unterhaltet Euch! Ehrt diesen Mann! Das schulden wir ihm.« Doch während das Festmahl weiterging, stand er auf und gab Thibor einen Wink, mit ihm zu kommen.

Sie gingen hinaus auf das Gelände hinter dem Schloß in einen kühlen Herbstabend hinein. Der Rauch von den Holzfeuern duftete unter den Bäumen.

Ein Stück weit vom Schloß entfernt blieb der Prinz stehen. »Thibor, wir werden uns mit Eurer Idee beschäftigen – dieser Invasion nach Osten zu, denn darauf würde es hinauslaufen – doch ich bin nicht sicher, ob wir dazu in der Lage sind. Wißt Ihr, man hat so etwas schon früher versucht.« Er nickte verbittert. »Der Große Prinz selbst hat es versucht. Zuerst griff er die Chasaren an. Swiatoslaw zermalmte sie und die Byzantiner fegten die Überreste weg. Und dann zog er gegen Bulgarien und Makedonien. Doch in der Zwischenzeit belagerten die

Nomaden sogar Kiew selbst! Und welchen Preis mußte er seinem Übereifer bezahlen? Trotz aller Legenden, die über ihn verfaßt wurden? Nomaden trieben ihn in die Stromschnellen und verarbeiteten seine Schädeldecke zu einem Trinkbecher! Seht Ihr, er handelte übereilt! Oh ja, er wurde die Chasaren los, sicher, aber letzten Endes ließ er dafür die verdammten Petschenegen ein! Und soll ich ebenfalls überhastet handeln?«

Der Wallache stand einen Augenblick schweigend im Schein des Sonnenuntergangs. »Werdet Ihr mich also in die südliche Steppe zurücksenden?«

»Vielleicht, vielleicht auch nicht. Möglich, daß ich Euch ganz aus den Kämpfen heraushalte, zum Bojaren ernenne, Euch Land verleihe und Männer, die es für Euch bestellen sollen. Es gibt hier eine Menge gutes Land, Thibor.«

Thibor schüttelte den Kopf. »Dann ziehe ich es vor, in die Wallachei zurückzukehren. Ich bin kein Bauer, Prinz. Ich versuchte es, und dann kamen die Petschenegen und machten einen Krieger aus mir. Seither – waren alle meine Träume rot gefärbt. Träume von Blut. Dem Blut meiner Feinde, der Feinde dieses Landes.«

»Und was ist mit *meinen* Feinden?«

»Es sind die gleichen. Zeigt sie mir nur!«

»Also gut«, sagte der Wlad. »Ich werde Euch einen von ihnen zeigen. Kennt Ihr die Berge im Westen, die uns von den Ungarn trennen?«

»Meine Vorväter waren Ungarn«, sagte Thibor. »Was die Berge betrifft: Ich wurde unter ihren Gipfeln geboren. Nicht im Westen, aber im Süden, im Land der Wallachen, ein Stück weit vom großen Knick in der Bergkette.«

Der Prinz nickte. »Also habt Ihr Erfahrung mit den Bergen und ihren Tücken. Gut. Doch auf meiner Seite jener Gipfel, jenseits von Halitsch, gibt es eine Gegend, die nach ihren Einwohnern die Horvathei genannt wird, und dort wohnt ein Bojar, der ... nicht zu meinen Freunden zählt. Ich erhebe Anspruch auf seine Gefolgschaft, aber als ich all meine kleinen Prinzchen und Bojaren zu mir rief, erschien er nicht. Als ich ihn nach Kiew einlud, antwortete er nicht einmal. Als ich mein Interesse äußerte, ihn zu einem Gespräch zu treffen, ignorierte er mich. Wenn er also nicht mein Freund ist, kann er nur mein Feind sein. Er ist wie ein Hund, der nicht kommt, wenn ich ihn herbeirufe. Ein wilder Hund, und sein Heim ist eine Bergfestung. Bisher hatte ich weder die Zeit, noch die Absicht, noch die Macht, um ihn dort herauszuholen, aber ...«

»Was?« Thibor war verblüfft, und mit seinem Erstaunen unterbrach er den Redefluß des Wlad. »Es tut mir leid, mein Prinz, aber Ihr – und keine Macht?«

Wladimir Swiatoslawitsch schüttelte den Kopf. »Ihr versteht das nicht«, sagte er. »Natürlich besitze ich Macht. Kiew besitzt Macht. Aber sie ist so weit verstreut und ausgedehnt, daß sie ihre Grenzen hat. Soll ich ein Heer zurückholen, um ein ungebärdiges Prinzlein zur Ordnung zu rufen? Und dabei die Petschenegen wieder aufkommen lassen? Soll ich aus Bauern und Beamten, die sämtlich keinerlei Kampferfahrung haben, ein neues Heer aufstellen? Und falls doch, was dann? Selbst ein Heer könnte den Ferenczy nicht aus seiner Burg holen, wenn er nicht herauskommen will! Selbst ein ganzes Heer könnte ihn nicht vernichten, weil seine Verteidigungsanlagen so stark sind! Welche? Es sind die Bergpässe selbst, die Schluchten, die Lawinen! Mit einer Handvoll wilder und treuer Dienstmannen könnte er jedes Heer, das ich gegen ihn zu Felde schicken mag, beinahe unbegrenzt aufhalten. Oh ja, hätte ich zweitausend Mann übrig, könnte ich ihn möglicherweise aushungern lassen, doch um welchen Preis? Andererseits – was einem Heer unmöglich ist, könnte vielleicht ein einzelner tapferer, kluger und loyaler Mann erreichen ...«

»Wollt Ihr damit sagen, Euer Wille sei, diesen Ferenczy aus seiner Burg herauszuholen und nach Kiew zu bringen?«

»Dazu ist es zu spät, Thibor. Er hat deutlich gemacht, wie er mich ›respektiert‹. Wie also könnte ich ihn noch respektieren? Nein, ich will, daß er stirbt. Seine Ländereien fallen an mich, seine Burg auf der Berghöhe, sein Haushalt und seine Bediensteten. Und sein Tod wird anderen als Beispiel dienen, die glauben, sich ausschließen zu können.«

»Also wollt Ihr nicht seine Daumen, sondern seinen Kopf!« Thibors Schmunzeln enthielt keinerlei Humor.

»Ich will seinen Kopf, sein Herz und sein Banner. Und alles dies will ich in einem Freudenfeuer hier in Kiew verbrennen!«

»Sein Banner? Hat er ein Abzeichen, dieser Ferenczy? Könnte ich erfahren, welches Zeichen er ins Feld führt?«

»Selbstverständlich«, erwiderte der Prinz, dessen graue Augen mit einem Mal nachdenklich dreinblickten. Er senkte seine Stimme, sah sich einen Augenblick in der Dämmerung um, als wolle er ganz sicher gehen, daß niemand sie belausche. »Sein Abzeichen ist der gehörnte Kopf eines Teufels mit einer gespaltenen Zunge, von der Blut trieft ...«

Blut!

Ströme von Blut, die den schwarzen Erdboden tränken.

Die Sonne hatte den Horizont berührt und brannte dort rot wie ... wie ein großes Blutgeschwür. Bald würde sie von der Erde verschlungen werden.

Das alte Ding unter der Erde rührte sich wieder. Seine Hülle aus Leder und Knochen öffnete sich knirschend wie ein ausgetrockneter Schwamm, um den Tribut der Erde zu empfangen: das Blut, das durch faulende Blätter und Wurzeln und schwarze, in Jahrhunderten gereifte Erde hinabsickerte, wo das tausend Jahre alte Thibor-Wesen in seinem Grab lag.

Unbewußt nahm Thibor das einsickernde Blut wahr und wußte, wie alle Träumer solche Dinge ›wissen‹, daß dies lediglich Teil eines Traumes war. Das würde sich ändern, sobald die Sonne untergegangen war und das eingesickerte Blut ihn wirklich berührte. Momentan aber ignorierte er es und kehrte im Traum in jene Zeit am Ende des zehnten Jahrhunderts zurück, als er noch ein bloßer Mensch gewesen und mit einem Mordauftrag in die Horvathei gereist war.

Sie waren als Fallensteller verkleidet dorthin gezogen, Thibor und seine sieben Männer, als Wallachen, die dem Verlauf der Karpaten gefolgt waren, um die nördlichen Waldgegenden bis Winteranbruch zu erreichen. Tatsächlich waren sie einfach von Kiew aus über Kolomyja zu den Bergen geritten, aber sie hatten die Ausrüstung von Fallenstellern mitgeführt, um ihre Geschichte zu untermauern.

Sie waren drei Wochen lang in gleichmäßigem Tempo geritten, bis sie den kleinen Ort gleich unter den hohen Bergen erreicht hatten (ein

Dorf, das aus einer bloßen Handvoll Steinkaten bestand, am Abhang erbaut, dazu einem halben Dutzend Blockhäusern und einer Gruppe von Zigeunerzelten aus gegerbten Häuten, das Fell nach innen gewandt), den die dort wohnhaften Menschen Mupho Alde Ferenc Jaborow nannten. Sie kürzten den Namen unweigerlich ab. Bereznyi oder Ferenc klang in ihrem Dialekt wie ›Ferengi‹ und hieß in etwa: »Ort des Alten« oder »Heim des alten Ferengi«. Selbst die Zigeuner sprachen diesen Namen nur leise und respektvoll aus.

Es befanden sich vielleicht hundert Männer hier, dazu etwa dreißig Frauen und genauso viele Kinder. Die Hälfte der Männer bestand aus Fallenstellern, die sich auf der Durchreise befanden, andere waren Flüchtlinge, von den Petschenegen vertrieben, die sich weiter im Norden ansiedeln wollten. Viele der Letzteren hatten ihre Familien dabei. Der Rest – das waren entweder die Einwohner von Ferengi Jaborow oder Zigeuner, die hier überwintern wollten. Offensichtlich waren sie schon seit undenklichen Zeiten hierher gekommen, denn der »alte Teufel«, wie sie den Bojaren auch nannten, hatte sie immer gut behandelt und niemanden abgewiesen. In schlechten Zeiten, so sagte man, habe er sogar seine wandernden Einwohner mit Lebensmitteln aus seinen eigenen Vorratskammern und Wein aus seinem Keller versorgt.

Thibor, der um Essen und Trinken für sich und die anderen bat, wurde zu einem Holzhaus gewiesen, das in einem Kieferngehölz stand. Es handelte sich um eine Art von Schenke mit kleinen Zimmern oben am Dachboden, zu denen man über Strickleitern hinaufklettern mußte. Wenn der Gast zu schlafen wünschte, zog er einfach seine Leiter ein. Unten standen Holztische und Hocker, und an einem Ende des Saals befand sich eine Theke, hinter der kleine Fässer mit Branntwein und Eimer mit süßem Bier lagerten.

Die eine Wand war zur Hälfte ausgemauert, und dort brannte in einem mächtigen Kamin ein Feuer. Über dem Feuer hing ein großer Eisenkessel mit Gulasch, aus dem es stark nach Paprika roch. Zwiebelbündel und grobe Würste waren an Nägeln an der Wand neben dem Feuer aufgehangen worden; Schwarzbrot-Laibe standen auf den Tischen. Das Brot war in einem ausgemauerten Backofen in einer Seitenwand des Kamins gebacken worden.

Ein Mann, seine Frau und ein schmuddeliger Sohn führten das Lokal. Zigeuner, wie Thibor annahm, die es vorgezogen hatten, hier seßhaft zu werden. Sie hätten sich einen besseren Ort dafür auswählen können, dachte er sich, denn es war kalt inmitten der Schatten der hoch aufragenden Felsen und Berge, die man sogar im Haus drinnen noch spüren konnte. Ein düsterer Ort, finster und voller schlechter Vorahnungen.

Der Wallache hatte seinen Männern verboten, mit irgend jemandem zu sprechen, aber als sie ihr Gepäck abgeladen hatten und aßen und tranken, wobei sie sich untereinander in gedämpfter Lautstärke unterhielten, lud Thibor den Wirt zu einem Krug Branntwein ein.

»Wer seid Ihr?« fragte ihn der mürrische alte Mann.

»Wollt Ihr wissen, was ich war und wo ich war?« antwortete Thibor mit einer Gegenfrage. »Das wäre leichter zu beantworten als die Frage, wer ich bin.«

»Dann eben dies, wenn Euch nach Reden zumute ist.«

Thibor lächelte und nippte an seinem Branntwein. »Ich wuchs als Junge in den Karpaten auf. Mein Vater war ein Ungar, der aus der südlichen Steppe dort eingewandert war, um Ackerbau zu treiben. Seine Brüder und andere Verwandte und ihre Familien waren mitgekommen. Ich mache es kurz: Die Petschenegen kamen, alle wurden getötet und unsere Siedlung zerstört. Seither bin ich umhergewandert, habe als Söldner und für ein wenig Beute gegen die Barbaren gekämpft und ansonsten getan, was und wo ich es konnte. Jetzt werde ich zum Fallensteller. Ich habe die Berge gesehen, die Steppe, die Wälder. Das Leben als Bauer ist hart, und das Blutvergießen läßt einen Mann verbittern. Doch in den kleinen und größeren Städten kann man mit Fellen gutes Geld verdienen. Ich schätze, Ihr seid auch ein Stück weit herumgekommen, oder?«

»Hier und da.« Der andere zuckte die Achseln und nickte. Seine Haut war dunkel wie Leder, das im Rauch getrocknet wurde, runzlig und verwittert wie eine Walnuß, und er war mager wie ein Wolf.

Jung war er war auch nicht mehr, wie man es auch betrachten mochte, aber sein Haar glänzte noch immer schwarz, genau wie die Augen, und er schien auch noch alle Zähne im Mund zu haben. Doch er bewegte sich bedächtig, und seine Hände waren abgearbeitet, die Finger krumm.

»Ich wäre nach wie vor auf der Wanderschaft, würden meine Knochen nicht allmählich steif. Wir hatten einen zweirädrigen Karren mit lederbezogenen Rädern, den wir auseinandernehmen und tragen konnten, wenn der Weg unbefahrbar wurde. Auf dem Karren transportierten wir unser Haus und all unsere Habe: ein großes, abgeteiltes Zelt und Kochtöpfe und Werkzeuge. Wir waren – sind es noch – Zigany oder Zigeuner, wie Ihr uns nennt, und als wir dieses Haus erbauten, wurden wir Zigany Ferengi.«

Er legte den Kopf in den Nacken und blickte mit weit geöffneten Augen an der einen Hauswand hoch, teils respektvoll, teils furchtsam. Es gab kein Fenster, aber der Wallache wußte, daß der alte Mann in Richtung der Berghöhen blickte.

»Zigany Ferengi?« wiederholte Thibor. »Ihr habt Euch also dem Bojaren Ferenczy in seiner Burg angeschlossen?«

Der alte Zigeuner ließ den Blick wieder von den ungesehenen Höhen herabsinken, zog sich ein wenig zurück und machte nun einen etwas mißtrauischen Eindruck.

Thibor goß ihm schnell von seinem eigenen Branntwein nach.

Der andere schwieg jedoch, bis der Wallache schließlich die Achseln zuckte. »Nicht so wichtig; ich habe halt Gutes von ihm vernommen«, log er. »Mein Vater lernte ihn einst kennen ...«

»Tatsächlich!« Der alte Mann riß die Augen auf.

Thibor nickte. »In einem kalten Winter nahm der Ferenczy ihn gastfreundlich in seine Burg auf. Mein Vater sagte mir, sollte ich je in diese Gegend kommen, müßte ich unbedingt hinaufgehen und den Bojaren daran erinnern und ihm von meinem Vater noch einmal Dank sagen.«

Der alte Mann blickte Thibor eine Weile an. »Also habt Ihr Gutes über unseren Herrn gehört, ja? Von Eurem Vater, he? Und Ihr seid unter den Bergen geboren ...«

»Ist das ungewöhnlich?« Thibor zog die Augenbrauen hoch.

Der andere musterte ihn von Kopf bis Fuß. »Ihr seid ein großer Mann«, sagte er mürrisch, »und stark, das kann ich sehen. Ihr seht auch grimmig aus. Wallache seid Ihr also, und Eure Vorfahren waren Ungarn? Nun, das mag ja sein. Das mag schon sein.«

»Was mag schon sein?«

»Man sagt«, flüsterte der Zigeuner, wobei er seinen Kopf dem Thibors zuneigte, »daß es die Söhne Ferengis immer wieder zu ihm nach Hause zieht. Am Ende kommen sie alle hierher, um ihn zu suchen. Sie suchen ihren Vater! Würdet Ihr hinaufklettern, um ihn zu besuchen?»

Thibor machte eine unentschlossene Miene. Er zuckte die Achseln. »Vielleicht, wenn ich den Weg wüßte. Doch diese Felshänge und Pässe sind trügerisch.«

»Ich kenne den Weg.«

»Wart Ihr schon oben?« Thibor bemühte sich, keinen übereifrigen Eindruck zu erwecken.

Der alte Mann nickte. »Oh, ja. Und ich könnte Euch hinaufführen. Aber würdet Ihr auch allein hingehen? Dem Ferengi steht nicht der Sinn nach zu vielen Besuchern.«

Thibor gab sich den Anschein, ein wenig überlegen zu müssen. »Ich würde schon wenigstens zwei meiner Freunde mitnehmen. Falls der Weg schwierig ist.«

»Was? Wenn meine alten Knochen das bewältigen, dann doch sicher auch Eure! Nur zwei von ihnen?«

»Um mir über steile Stellen hinwegzuhelfen.«

Der Wirt schürzte die Lippen. »Es würde Euch schon etwas kosten. Meine Zeit und ...«

»Das versteht sich«, unterbrach ihn der Wallache.

Der Zigeuner kratzte sich hinter einem Ohr. »Was wißt Ihr über den alten Ferengi? Was habt Ihr über ihn vernommen?«

Thibor sah eine Möglichkeit, mehr zu erfahren. Aus Leuten wie diesen Informationen herauszuholen war ungefähr dasselbe, wie einem Bären einen Zahn zu ziehen!

»Ich habe gehört, daß er eine große Garnison von Soldaten unterhält, und daß seine Burg eine unüberwindliche Festung sei. Deshalb leistet er keinen Lehnseid und zahlt keine Steuern für seine Ländereien, die ohnehin keiner von ihm eintreiben mag.«

»Hah!« Der alte Zigeuner lachte schallend, trommelte mit den Fäusten auf die Theke und schenkte wieder Branntwein nach. »Eine Garnison von Soldaten? Vielleicht auch noch Knechte und Diener? Er hat nichts von alledem! Eine Frau oder auch zwei, vielleicht, aber keine Männer.

Nur die Wölfe bewachen diese Pässe. Was seine Burg betrifft: Sie ist an die Felsen angebaut. Es gibt nur einen Weg hinein – jedenfalls für bloße Menschen – und den gleichen Weg wieder hinaus. Außer, irgendein unvorsichtiger Narr lehnt sich zu weit aus einem der Fenster ...«

Als er einen Moment lang schwieg, wurde sein Blick wieder mißtrauischer. »Und hat Euer Vater Euch berichtet, daß der Ferengi Männer bei sich habe?«

Natürlich hatte Thibors Vater nichts dergleichen berichtet. Und, was das betraf, hatte auch der Wlad nichts gesagt. Das Wenige, das er erfahren hatte, war das abergläubische Geschwätz eines Kerls aus dem Hofstaat, eines närrischen Mannes, der dem Prinzen nicht besonders zugetan war, und den auch keiner besonders mochte.

Thibor wollte keine Zeit mit Gespenstern verschwenden; er wußte, wie viele Männer er getötet hatte, und keiner davon war zurückgekehrt, um ihn zu verfolgen.

Er beschloß, ein Risiko einzugehen. Er hatte ohnehin bereits viel von dem erfahren, was er wissen wollte. »Mein Vater sagte nur, der Weg sei steil gewesen, und als er dort war, hätten viele Männer außerhalb und innerhalb der Burg gelagert.«

Der alte Mann sah ihn an und nickte bedächtig. »Das könnte sein, ja, es könnte sein. Die Zigany haben oft bei ihm überwintert.«

Er rang sich zu einer Entscheidung durch. »Also gut, ich werde Euch hinaufbringen – falls er Euch sehen will.«

Er lachte, als Thibor die Augenbrauen hochzog, und führte ihn aus dem Haus in die nachmittäglich ruhige Berglandschaft. Auf dem Weg nahm der Zigeuner eine mächtige bronzene Bratpfanne von ihrem Haken. Eine blasse Sonne stand über den Baumwipfeln, bereit, hinter den grauen Berggipfeln zu versinken. Hier brach im Schatten der Berge die Abenddämmerung früher an, und die Vögel sangen bereits ihre Schlaflieder.

»Die Zeit ist recht.« Der alte Mann nickte versonnen. »Und nun müssen wir hoffen, daß man uns sieht.«

Er deutete steil hinauf, wo sich ein hoher, gezackter, schwarzer Felskamm vor dem Grau der höheren Gipfel abzeichnete. »Seht Ihr, dort, wo die Dunkelheit am tiefsten ist?« Thibor nickte.

»Das ist die Burg. Nun seht her.« Er wischte die Unterseite der Pfanne mit seinem Ärmel ab und hielt sie sodann hoch in den Sonnenschein. Die blassen Strahlen wurden von der Pfanne reflektiert und eine goldene Spur zog sich hoch bis zu den schroffen Klippen. Immer schwächer leuchtete der Lichtpunkt mit wachsender Entfernung, sprang von einem Geröllfeld weiter zur Felswand, von Schroffen und Schründen zu einer kleinen Gruppe von Kiefern, von den Bäumen zurück zum brüchigen Schiefer und immer höher hinauf.

Und schließlich erschien es Thibor, als erhalte der Lichtstrahl eine Antwort, denn als der Zigeuner die Pfanne nur noch steif und unbeweglich in den gichtigen Händen hielt, schien auf dem dunklen, rechteckigen Vorsprung, auf den er gedeutet hatte, ein goldenes Feuer auszubrechen!

Die Lanze aus purem Licht stieß so plötzlich und so blendend auf sie hinab, daß der Wallache die Hände vor die Augen riß und zwischen den Fingern hindurchblicken mußte.

»Ist er das?« Thibor schnappte nach Luft. »Ist es der Bojar selbst, der uns antwortet?«

»Der alte Ferengi?« Der Zigeuner lachte schallend.

Vorsichtig stellte er die Pfanne so auf, daß sie auf einer Steinplatte ruhte. Der Lichtfinger von der Höhe her deutete nach wie vor auf sie. »Nein, er nicht. Die Sonne gehört nicht zu seinen Freunden. Und Spiegel liebt er ebenfalls nicht!«

Wieder lachte er, und dann kam die Erklärung: »Es ist ein blank polierter Spiegel, einer von mehreren, die über der Rückwand der Burg eingelassen sind, wo die Mauer an die Klippe angebaut ist. Nun, wenn man unser Signal bemerkt, wird jemand den Spiegel bedecken, der unseren Lichtstrahl zurückwirft, und das Licht dort verschwindet. Nicht langsam, wie durch den Untergang der Sonne, sondern ganz plötzlich – *so wie jetzt!*«

Als habe man eine Kerze gelöscht, ging das blendende Licht mit einem Mal aus, so daß Thibor in der folgenden Düsternis beinahe taumelte. Er straffte sich jedoch wieder und sagte: »Also, dann sieht es ja danach aus, daß Ihr den Kontakt hergestellt habt. Offensichtlich hat der Bojar gesehen, daß Ihr ihm etwas mitteilen wollt, doch wie erfährt er, was es ist?«

»Er *wird* es erfahren«, antwortete der Zigeuner. Er griff nach Thibors Arm und blickte unverwandt hinauf in die oberen Regionen.

Plötzlich wurden die Augen des alten Mannes glasig und er wankte. Thibor hielt ihn fest. Und:

»So, *jetzt* weiß er es«, flüsterte der alte Mann. Seine Augen wurden wieder klar.

»Wie?« Thibor war erstaunt und beunruhigt zugleich. Die Zigany waren seltsame Leute, und kaum einer verstand ihre Fähigkeiten. »Was meint Ihr damit, wenn Ihr sagt ...«

»Und nun wird er entweder mit ›ja‹ oder mit ›nein‹ antworten«, unterbrach ihn der Zigeuner. Er hatte kaum ausgeredet, da fuhr ein blendender, sengender Lichtstrahl von der Burg auf sie herab, der jedoch einen Moment später wieder erstarb.

»Ah«, seufzte der alte Mann. »Und seine Antwort lautet ›ja‹, er wird Euch empfangen!«

»Wann?« Thibor akzeptierte die eigenartige Mitteilung und unterdrückte den Eifer in seinem Tonfall.

»Jetzt. Wir brechen sofort auf. Die Berge sind nachts gefährlich, aber er will es nur so. Seid Ihr immer noch willens, das zu wagen?«

»Ich werde ihn nicht enttäuschen, nachdem er mich eingeladen hat«, sagte Thibor.

»Gut. Doch kleidet Euch warm, Wallache. Es wird dort oben kalt!« Der alte Mann warf ihm noch einen kurzen, durchdringenden Blick zu. »Ja, so kalt wie der Tod ...«

Thibor wählte zwei kräftige Wallachen aus, die ihn begleiten sollten. Die meisten der Männer stammten aus seiner Heimat, doch er hatte im Krieg gegen die Petschenegen Seite an Seite mit diesen beiden Wallachen gekämpft und wußte, daß sie mannhafte Kämpfer waren. Er brauchte richtige Männer, die ihm den Rücken deckten, wenn er sich gegen diesen Ferenczy stellte.

Und er mochte sie durchaus benötigen!

Arvos, der alte Zigeuner, hatte behauptet, der Bojare habe keine Dienstmannen, doch wer hatte dann das Spiegelsignal beantwortet?

Nein, Thibor konnte nicht glauben, daß ein reicher Mann dort oben ganz allein lebte, bis auf ein oder zwei Frauen, und alles persönlich heraufschleppen mußte. Der alte Arvos log.

Falls sich wirklich nur eine Handvoll Männer bei ihrem Herrn oben in den Bergen befinden sollte ... Aber das waren Spekulationen. Thibor mußte abwarten und an Ort und Stelle feststellen, wie sich das verhielt. Sollten es viele Männer sein, würde er behaupten, als Abgesandter Wladimirs zu kommen, um den Bojaren ins Schloß nach Kiew einzuladen. Das habe mit dem Krieg gegen die Petschenegen zu tun.

Wie auch immer, war sein Vorgehen nun entschieden: Er mußte einen Berg erklimmen und oben einen Mann töten, je nachdem, was er dort vorfand.

In jenen Tagen war Thibor noch auf gewisse Weise naiv. Es war ihm überhaupt nicht in den Sinn gekommen, daß ihn der Wlad auf eine Selbstmord-Mission geschickt haben könnte, und daß gar nicht von ihm erwartet wurde, heil nach Kiew zurückzukehren.

Was den Aufstieg betraf: Zuerst war es noch ein leichter Spaziergang gewesen, obwohl kein markierter Weg vorhanden war. Der Pfad – es gab eigentlich keinen, nur eine Route, die der alte Zigeuner auswendig kannte – erklomm einen Buckel zwischen den Vorhügeln und dem Fuß einer unbesteigbaren Felswand. Sodann folgte er einem ansteigenden, losen Geröllfeld bis zu einem breiten Spalt oder Kamin im Felsen. Von dort aus ging es steil hoch durch einen Felsriß auf ein flacheres Stück am Fuß einer zweiten, noch steileren Hügelkette. Diese waren wild und dicht bewaldet. Die Bäume wirkten massiv und uralt. Doch mittlerweile hatte Thibor gemerkt, daß wirklich eine Art Pfad existierte. Es war, als habe ein Riese mit der Sichel eine gerade Schneise zwischen den Bäumen freigemäht. Das Holz war zweifelsohne zum Bau der Häuser im Dorf verwendet worden, und einiges mochte auch nach oben gebracht worden sein, um zum Bau der Burg zu dienen. Das war möglicherweise vor mehreren hundert Jahren geschehen, und trotzdem waren keine Bäume nachgewachsen, die den Weg wieder versperrten. Oder falls doch, hatte jemand sie mitsamt der Wurzeln ausgegraben, um den Pfad freizuhalten.

Was auch immer, der Aufstieg durch die Hangwälder war relativ leicht, und als sich nach der Dämmerung die Nacht über die Berge senkte, erhob sich ein voller Mond und übergoß den Pfad mit seinem silbernen Lichtschein.

Die drei Männer und ihr Führer sparten ihre Luft für den Anstieg und sprachen nicht miteinander. So konnte Thibor in aller Ruhe rekapitulieren, was er von dem Gecken am Hof über den Bojaren Ferenczy erfahren hatte. »Die Griechen fürchten ihn noch mehr als Wladimir«, hatte ihn dieser Schwätzer informiert. »Im Land der Griechen hat man diese Art schon lange verfolgt und unterdrückt. Sie bezeichnen so etwas wie den Ferenczy als ›Wrikolax‹, was dasselbe bedeutet wie auf Bulgarisch ›Obur‹ oder ›Muphur‹ – oder ›Wampir‹!«

»Ich habe schon von dem Vampir gehört«, hatte Thibor erwidert. »In meinem Heimatland gibt es die gleiche Legende, und sie benutzen sogar die gleiche Bezeichnung dafür. Ein Aberglaube der Bauern. Und ich sage Euch etwas: Die Männer, die ich getötet habe, verwesen in ihren Gräbern, falls sie überhaupt in Gräbern liegen. Ganz sicher blähen sie sich nicht auf! Oder falls doch, dann rührt das von verfaulendem Gas her und nicht vom Blut der Lebenden!«

»Dennoch behauptet man, der Ferenczy sei ein solches Geschöpf«, hatte Thibors Informant beharrt. »Ich habe gehört, wie sich die griechischen Priester darüber unterhalten haben. Sie sagten, es sei kein Platz für eine solche Kreatur in einem christlichen Land. Im Land der Griechen schlägt man ihnen Holzpflöcke durch die Herzen und schneidet ihnen die Köpfe ab. Oder noch besser, man reißt sie ganz auseinander und verbrennt die Einzelteile. Sie glauben dort, daß sogar ein kleiner Teil eines Vampirs im Körper eines unvorsichtigen Mannes wieder zu einem ganzen Ungeheuer heranwachsen kann. Das Ding sei wie ein Blutegel, aber innen, nicht außen! Deshalb sagt man auch, ein Vampir habe zwei Herzen und zwei Seelen – und daß diese Geschöpfe erst dann sterben, wenn beides vernichtet wird.«

Thibor hatte gelächelt, doch eher verächtlich und ganz ohne Humor. Er hatte dem Mann gedankt und gesagt: »Nun, Zauberer, Hexer oder was auch immer, jedenfalls hat der Mann lange genug gelebt. Wladimir der Prinz wünscht, daß dieser Ferenczy stirbt, und mir hat er diese Aufgabe anvertraut.«

»Lang genug gelebt!« hatte ihn der andere nachgeäfft und dabei die Hände gen Himmel gehoben. »Wahrlich, und Ihr wißt gar nicht, wie wahr das ist! Es hat seit Menschengedenken immer einen Ferenczy oben in jenen Bergen gegeben. Und die Legenden besagen, daß es *der gleiche* Ferenczy ist! Nun sagt mir, Wallache, welche Art von Mensch die Jahre wie Stunden an sich vorbeiziehen läßt, ja?«

Thibor hatte bei diesen Worten wiederum gelacht, doch jetzt schien es, daß – einige Dinge zusammenpaßten.

Das ›Mupho‹ im Namen des Dorfes beispielsweise, das sehr nach ›Muphur‹ oder ›Wampir‹ klang. ›Dorf des alten Ferenczy-Vampirs‹?

Und was hatte Arvos, der Zigany, gesagt? ›Die Sonne gehört nicht zu seinen Freunden. Und Spiegel liebt er ebenfalls nicht‹. Waren Vampire nicht Wesen der Nacht? Hatten Angst vor Spiegeln, weil sie sich darin nicht erblicken konnten – oder entsprach gerade das der Realität?

Dann schnaubte der Wallache jedoch verächtlich über seine eigenen Einbildungen. Es war einfach diese uralte Gegend, die seine Phantasie beeinflußte. Diese jahrhundertealten Bäume und zeitlosen Felsen ...

Sie kamen nun unter den Bäumen hervor ins Freie und erreichten sodann die Kuppe eines abgerundeten Hügels, auf dem die Erde so dünn lag wie ein Flüstern, und wo nur Flechten wuchsen. Jenseits lag eine seichte Mulde, und dahinter zog sich ein mit brüchigem und losem Geröll bedeckter Hang vielleicht eine halbe Meile hoch bis zu der tiefen Schwärze dunkler Klippen. Im Norden ragte sie hoch auf, jene schwarze Grenze, und bildete Hörner, und auf diese vom Mond beschienenen Hörner deutete der alte Arvos nun mit einem gekrümmten Zeigefinger.

»Dort!« Er schmunzelte, als scherze er. »Dort brütet das Haus des alten Ferengi vor sich hin.«

Thibor blickte hinauf – und tatsächlich entdeckte er unter den Hörnern ferne beleuchtete Fenster wie Augen in der Dunkelheit. Und es schien wirklich, als hocke dort eine monströse Fledermaus auf der Anhöhe, oder vielleicht der Herr aller großen Wölfe.

»Wie Augen in einem steinernen Gesicht«, grollte einer von Thibors Wallachen, ein Mann, der ganz aus Brustkorb und Armen zu bestehen schien, mit kurzen Stummelbeinen.

»Und nicht die einzigen Augen, die uns beobachten!« flüsterte der andere, ein magerer, vorgebeugt gehender Mann, der stets den Kopf aggressiv vorstreckte.

»Was sagst du da?«

Thibor reagierte sofort wachsam, blickte sich angestrengt in der Dunkelheit um. Dann erblickte er die wilden, dreieckigen Augen, die wie Goldklumpen in der Dunkelheit am Waldrand zu schweben schienen.

Fünf Augenpaare: sicherlich Wolfsaugen?

»Ho!« schrie Thibor. Er zog sein Schwert aus der Scheide und trat vor. »Packt Euch, Hunde der Wälder! Wir haben nichts für Euch!«

Augenpaare blinzelten sporadisch, zogen sich zurück und verstreuten sich. Vier hagere graue Wolfsgestalten sprangen weg. Ihre Bewegungen ließen sie im Mondschein wie flüssig erscheinen, bevor sie sich zwischen Felsblöcken am Geröllhang verloren. Doch das fünfte Augenpaar blieb, wanderte höher und glitt ohne zu Zögern aus der Dunkelheit heraus auf die Menschen zu.

Und dann trat ein Mann aus den Schatten hervor, genauso groß oder noch größer als Thibor.

Arvos, der Zigeuner, taumelte, schien nahe daran, in Ohnmacht zu fallen. Im Mondschein sah sein Gesicht geisterhaft blaß – grau-silbern – aus.

Der Fremde streckte eine Hand aus und packte Arvos an der Schulter, blickte ihm tief in die Augen. Und langsam streckte sich der alte Mann wieder und sein Zittern hörte auf.

In der Art des geborenen Kriegers hatte sich Thibor sogleich auf Schlagdistanz begeben. Das Schwert ruhte noch in seiner Hand, doch es handelte sich ja nur um einen einzigen Mann. Thibors Männer – zu Beginn verblüfft und vielleicht sogar ein wenig furchtsam – wollten ebenfalls die Schwerter ziehen, doch er hielt sie mit einem Wort davon ab und ließ sein Schwert in die Scheide zurückgleiten. Dies war einfach eine Geste der Überlegenheit, womit er seine Stärke und womöglich auch seine Verachtung zeigte. Auf jeden Fall deutete es seine Furchtlosigkeit an.

»Wer seid Ihr?« fragte er. »Ihr kommt wie ein Wolf in der Nacht.«

Der Ankömmling war so schlank, daß er fast zerbrechlich wirkte. Er war ganz in Schwarz gekleidet; ein schwerer, schwarzer Umhang hing ihm von den Schultern bis unter die Knie. Es mochte sein, daß er unter dem Umhang verborgen Waffen trug, doch er hielt seine Hände deutlich sichtbar und stützte sie auf die Hüften.

Nun ignorierte er den alten Arvos und sah die drei Wallachen an. Der Blick aus seinen dunklen Augen streifte Thibors Gefolgsmänner nur kurz, doch Thibor selbst blickte er länger an, bevor er antwortete: »Ich komme vom Haus des Ferenczy. Mein Herr schickte mich, auszukundschaften, welche Männer ihn heute abend besuchen wollen.« Er lächelte dünn. Seine Stimme hatte eine beruhigende Wirkung auf den Woiwoden, genauso wie seltsamerweise auch seine unerschrockenen Augen, in denen sich der Mondschein spiegelte.

Thibor ertappte sich dabei, wie er sich eine hellere Beleuchtung wünschte. Es lag etwas in den Zügen des anderen, das ihn abstieß. Er sah vor sich einen verformten Schädel und wunderte sich, daß dieser ihn nicht weiter beunruhigte. Doch eine geheimnisvolle Anziehungskraft bannte ihn und zog ihn an wie einen Falter die alles verschlingende Flamme. Ja, er wurde gleichzeitig angezogen und abgestoßen.

Als ihm im Kopf herumging, daß er unter einen eigenartigen, krankhaften Bann geriet, richtete er sich zur vollen Größe auf und zwang sich zum Sprechen: »Teilt Eurem Herrn mit, daß ich Wallache bin. Ich komme, um mit ihm bedeutsame Dinge zu besprechen.«

Der Mann im Umhang trat näher heran, und nun beschien der Mond sein Gesicht. Es war doch das Gesicht eines Mannes und kein bloßer Schädel, aber etwas Wölfisches lag in diesen Zügen, eine beinahe abartige Länge der Kiefer und der Ohren.

»Mein Herr nahm das bereits an«, sagte er, und eine gewisse Härte schlich sich in seinen Tonfall ein. »Aber es spielt keine Rolle – was sein muß, wird sein, und Ihr seid nur ein Bote. Bevor Ihr jedoch von diesem Punkt hier weitergeht, denn hier ist die Grenze, muß mein Herr sichergehen, daß Ihr aus freiem, eigenem Willen kommt.«

Thibor hatte seine Selbstbeherrschung wiedergefunden. »Niemand hat mich hier heraufgeschleift«, schnaubte er.

»Doch Ihr wurdet gesandt ...?«

»Ein starker Mann kann nur dorthin ›gesandt‹ werden, wo er sich hinbegeben will«, antwortete der Wallache.

»Und Eure Männer?«

»Wir gehören zu Thibor«, sagte der Gebeugte. »Wo er hingeht, da gehen auch wir hin – aus eigenem Willen!«

»Sogar zu jenem, der Wölfe ausschickt, um seine Befehle auszuführen«, fügte Thibors zweiter Begleiter hinzu.

»Wölfe?« Der Fremde runzelte die Stirn und hielt den Kopf fragend ein wenig schräg. Er sah sich aufmerksam um, und dann lächelte er amüsiert. »Ihr meint die Hunde meines Herrn?«

»Hunde?« Thibor war sicher, Wölfe gesehen zu haben. Jetzt jedoch erschien ihm diese Vorstellung lächerlich.

»Jawohl, Hunde. Sie kamen mit mir heraus, denn es ist eine schöne Nacht. Doch sie sind nicht an Fremde gewöhnt. Sie sind nach Hause gerannt.«

Thibor nickte, und nach einer kleinen Weile sagte er: »Also seid Ihr gekommen, um uns auf halbem Weg zu treffen. Ihr wollt uns begleiten und uns den Weg zeigen.«

»Ich nicht.« Der andere schüttelte den Kopf. »Arvos kann das ganz gut. Ich kam lediglich, Euch zu begrüßen und zu sehen, wie viele Ihr seid – und um sicherzugehen, daß Eure Gegenwart hier nicht erzwungen wurde. In anderen Worten, daß Ihr aus freiem Willen gekommen seid.«

»Ich wiederhole es noch einmal«, grollte Thibor, »wer könnte mich zwingen?«

»Oh, es gibt Zwang und Druck ...« Der Mann zuckte die Achseln. »Aber wie ich sehe, seid Ihr niemandes Knecht.«

»Ihr erwähntet unsere Anzahl.«

Der Mann im Umhang zog die Augenbrauen hoch. Sie liefen jeweils in der Mitte spitz zu wie Hausgiebel. »Wegen Eurer Unterbringung«, antwortete er. »Warum wohl sonst?« Und bevor Thibor etwas darauf sagen konnte: »Jetzt muß ich vorausgehen und alles vorbereiten.«

»Es wäre mir peinlich, wenn wir Eurem Herrn zu sehr zur Last fallen«, sagte Thibor schnell. »Es ist schon schlimm genug, als ungebetener Gast zu erscheinen, doch schlimmer noch, falls andere ihre angestammten Quartiere räumen müßten, um Platz für uns zu schaffen.«

»Oh, es gibt Platz genug«, erwiderte der andere. »Und Ihr kommt auch nicht ganz unerwartet. Was das Räumen betrifft: Das Haus meines

Herrn ist eine Burg, doch sie beherbergt weniger Menschenseelen als Ihr hier seid.« Es war, als habe er Thibors Gedanken gelesen und die Frage beantwortet, die er im Sinn gehabt hatte.

Nun neigte er den Kopf in Richtung des alten Zigany. »Laßt Euch jedoch warnen! Der Pfad an der Klippe entlang ist unsicher und ein wenig gefährlich. Achtet vor allem auf herabstürzendes Gestein!« Und noch einmal sagte er zu Thibor: »Auf später dann!«

Sie sahen ihm nach, wie er sich umdrehte und den ›Hunden‹ seines Herrn folgte, den engen Pfad entlang, der den mit Steinen übersäten Hang empor verlief.

Als er im Schatten weiter oben verschwunden war, packte Thibor Arvos beim Hals. »Keine Gefolgsleute?« zischte er dem alten Zigeuner ins Gesicht. »Keine Diener? Was sollte das – seid Ihr einfach ein Lügner, oder seid Ihr etwa ein ganz großer Lügner? Der Ferenczy könnte hier oben ein ganzes Heer verstecken!«

Arvos versuchte, dem Griff zu entkommen, doch die Hand des Wallachen umklammerte wie eine Eisenzange seinen dürren Hals. »Ein ... Kammerdiener oder zwei«, würgte er hervor. »Woher ... sollte ich das wissen? Es ist schon ... Jahre her ...« Thibor ließ ihn los und stieß ihn von sich.

»Alter Mann«, warnte er ihn, »wenn Ihr noch einmal das Tageslicht erblicken wollt, dann führt uns sicher diesen gefährlichen Pfad entlang!«

Und so hatten sie schließlich den Geröllhang durchschritten und waren an der Felsklippe angelangt, in deren Steilwand ein enger Pfad gehauen war.

DRITTES KAPITEL

Der Pfad schmiegte sich im Mondschein wie eine silberne Schlange an die schwarze Felsmauer. Er war breit genug für einen kleinen Handkarren, aber nicht mehr. An einzelnen Stellen war der Rand abgebrochen, und dort verengte sich der Pfad auf wenig mehr als eine Mannsbreite. Und gerade an einer solch engen Stelle frischte die Nachtbrise vom

Wald her plötzlich auf. Böen rissen an ihnen und bedrohten die Männer, die wie Insekten einem unbekannten Horst entgegenkletterten.

»Wie lang ist dieser verdammte Pfad eigentlich?« fauchte Thibor den Zigeuner an, nachdem sie langsam und vorsichtig vielleicht eine halbe Meile weit hinaufgestiegen waren.

»Noch einmal die gleiche Entfernung«, antwortete Arvos sofort, »aber von nun an wird es steiler. Einst hat man Karren hier hochgebracht, so erzählt man sich, aber das war vor mehr als hundert Jahren, und der Weg ist seither nicht sehr gut erhalten geblieben.«

»Ha!« schnaubte Thibors kleingewachsener Begleiter. »Karren? Hier herauf würde ich nicht einmal einen Ziegenbock bringen!«

In diesem Moment fuhr der andere Wallache, der gebeugte, mit einem Mal hoch und drückte sich enger an die Felswand. »Ich habe keine Ahnung von Ziegen«, flüsterte er heiser, »aber wenn ich mich nicht täusche, haben wir gerade andere Begleiter bekommen – die ›Hunde‹ des Ferenczy!«

Thibor blickte nach vorn, wo der Pfad hinter einer Felskrümmung verschwand. Gegen die sternübersäte Schwärze des Himmels hoben sich dort die geduckten Gestalten von Wölfen ab, die Schnauzen erhoben, die Ohren aufmerksam gespitzt und die Augen erfüllt von einem wilden Glanz. Aber es waren nur zwei. Thibor hielt erst einmal die Luft vor Schreck an, fluchte dann jedoch hart und blickte sich nach hinten um, wo der Schatten am tiefsten war. Dort sah er die anderen beiden, oder genauer, er sah ihre dreieckigen, mondscheinsilbernen Augen.

»Arvos«, grollte er, riß sich gewaltsam zusammen und faßte nach dem alten Zigeuner. »*Arvos!*«

Das plötzliche Donnergrollen mochte von einem Gewitter herrühren. Allerdings war die Luft frisch und trocken, und die wenigen sichtbaren Wolken zogen verstreut einher, anstatt hochzuquellen. Außerdem bebt bei einem normalen Donnern wohl kaum die Erde zu Füßen eines Mannes.

Thibors magerer, gebeugter Freund war der letzte in der kleinen Reihe, und er befand sich gerade an einem Punkt, wo der Pfad so schmal war, daß man ihn nur noch als Felsvorsprung bezeichnen konnte. Nur ein Schritt weiter, und er wäre in Sicherheit gewesen.

»Steinschlag!« schrie er heiser und wollte vorspringen. Doch im Sprung wurde er von Felsbrocken erfaßt und in die Tiefe gerissen.

Es ging sehr schnell: Er war da, die Arme vorgestreckt, das Gesicht bleich im Glanz des Mondscheins – und dann war er verschwunden. Er schrie nicht einmal auf. Zweifellos war er von den Steinen bewußtlos geschlagen oder getötet worden, während er stürzte.

Als das letzte Steinchen gefallen war und der Staub sich verzogen hatte und das Donnergrollen nur noch als Echo widerhallte, trat Thibor an den Rand und blickte hinab. Es war nichts zu sehen, nur Dunkelheit und der Widerschein des Mondes auf fernen Felsen. Auch war auf dem Pfad vor und hinter ihnen nichts mehr von den Wölfen zu sehen.

Thibor wandte sich zu dem alten Zigeuner um, der sich zitternd und bebend an die Felsen klammerte.

»Steinschlag!« Der alte Mann sah seine grimme Miene. »Ihr könnt mich nicht für den Steinschlag verantwortlich machen. Wäre er gesprungen, statt seinen Warnruf ...«

Thibor nickte. »Nein«, stimmte er zu, und seine dichten Augenbrauen wirkten schwarz wie die Nacht selbst. »Ich kann Euch nicht für einen Steinschlag verantwortlich machen. Aber von nun an werde ich es gar nicht mehr auf Verantwortung oder so etwas ankommen lassen. Falls noch irgend ein Problem auftauchen sollte, gleich aus welchem Grund oder wer es verursacht, werde ich Euch einfach über die Klippe stoßen. Wenn ich sterben muß, weiß ich wenigstens, daß Ihr vorher gestorben seid. Denn etwas müßt Ihr ganz klar begreifen, alter Mann: Ich traue dem Ferenczy nicht, ich traue seinen sogenannten ›Hunden‹ nicht, und Euch traue ich schon gar nicht! Ich werde Euch nicht noch einmal warnen.« Er zeigte mit dem Daumen in Richtung des Pfads. »Führt uns weiter, Arvos von den Zigany – und hurtig, wenn ich bitten darf!«

Thibor glaubte selbst nicht daran, daß seine Warnung viel bewirken werde, denn vielleicht hielt sich der Zigeuner daran, aber seinem Herrn oben in den Bergen bedeutete sie nichts. Doch andererseits war der Wallache kein Mann leerer Worte. Arvos, der Zigany, gehörte zu diesem Ferenczy, darüber bestand kein Zweifel. Und deshalb würde er dafür sorgen, falls aus dieser Ecke noch weitere Schwierigkeiten kamen (Thibor war sicher, daß der Steinschlag mit Absicht ausgelöst worden war), daß sie Arvos zuerst treffen würden. Das nächste Problem wartete schon auf sie, und zwar in einem Hohlweg. Der Fels war dort durch einen tiefen Riß gespalten, an dessen Ende die Burg des Ferenczy stand, und durch diesen Riß führte ihr Pfad.

Dieser Anblick bot sich nun Thibor und seinem affenähnlichen wallachischen Freund und dem finsteren Zigeuner Arvos, als sie die Kluft erreichten: Irgendwann in den verschleierten Abgründen der Vergangenheit hatten sich die Berge aufgebäumt und gespalten. Tiefe Pässe hatten sich zwischen den Bergkämmen gebildet, zu denen dieser gehören mochte. Allerdings hatte dieser Spalt nicht den gesamten Berg zerrissen. Der Fels, an dessen Steilwand sie entlanggewandert waren, endete schließlich in einer steilen Anhöhe, etwa eine halbe Meile von ihnen entfernt. Diese Anhöhe war in zwei Gipfel gespalten – wie die Ohren einer Fledermaus oder eines Wolfes.

Und dort, wo sich die Kluft zu einem bloßen Spalt verengte, wurde dieser durch die Burg überbrückt. Sie klebte förmlich zu beiden Seiten am Fels, und über dem Spalt erhob sich ein mächtiger Mauerbogen wie der einer Brücke, auf dem das Herrenhaus des Ferenczy thronte. Wie zuvor schon waren zwei Fenster beleuchtet und wirkten wie Augen unter jenen scharf umrissenen schwarzen Ohren, während der darunterliegende Spalt wie ein weit geöffnetes Maul aussah.

»Kein Wunder, daß er Wölfe ausschickt, der dort oben«, grollte Thibors breit gebauter Begleiter. Er hatte es wohl berufen. Kaum ausgesprochen, kamen sie auch schon den schmalen Pfad von der Burg heruntergerannt, und diesmal waren es nicht nur vier. Es war eine wahre Flut, eine Wand aus grauem Fell, durchsetzt mit glimmenden gelben Augen. Und sie rannten schnell und zielbewußt auf Thibors Gruppe zu.

»Ein Rudel!« schrie Thibors Freund.

»Zu viele, die schaffen wir nicht!« rief der Woiwode zurück. Aus dem Augenwinkel bemerkte er, wie Arvos losrennen wollte, auf die anstürmenden Wölfe zu! Thibor stellte ihm blitzschnell ein Bein und brachte den alten Zigeuner zu Fall.

»Pack ihn!« befahl Thibor, während er sein Schwert zog.

Der untersetzte Wallache hob Arvos so mühelos hoch wie einen vertrockneten Ast, und dann hielt er ihn über den Abgrund hinaus. Arvos schrie vor Angst. Die Wölfe, die schon auf wenige Schritte Abstand herangestürmt waren, blieben unsicher stehen. Ihr Rudelführer hob die spitze Schnauze und heulte klagend. Es wirkte tatsächlich, als erwartete er einen Befehl. Doch wer sollte ihn geben?

Arvos verstummte, wandte den Kopf und blickte mit weit aufgerissenen Augen zur fernen Burg hoch. Sein Adamsapfel hüpfte, so panikartig verkrampft holte er Luft.

Der Mann, der ihn am ausgestreckten Arm hielt, sah erst die Wölfe und dann Thibor an. »Was nun? Soll ich ihn fallenlassen?«

Der mächtige Wallache schüttelte den Kopf. »Nur wenn sie angreifen«, antwortete er.

»Ihr glaubt also, der Ferenczy habe sie unter Kontrolle, ja? Aber ... ist so etwas möglich?«

»Wie es scheint, hat unser Opfer eine gewisse Macht über sie«, sagte Thibor. »Sieh dir das Gesicht des Zigeuners an!«

Arvos' Blick war starr und glasig geworden. Schon einmal hatte Thibor das Gleiche beobachtet, als der alte Mann drunten im Dorf die Bratpfanne als Spiegel verwendet hatte. So, als liege ein milchiger Schleier über jedem Augapfel.

Dann sprach der Zigeuner: »Herr?« Arvos' Mund bewegte sich kaum beim Sprechen. Er hauchte nur. Seine Worte rangen zuerst mit dem Bergwind um die Vorherrschaft, doch dann wurden sie lauter. »Herr? Aber, Herr, ich war Euch immer ein treuer ...«

Er schwieg mit einem Mal, als sei er unterbrochen worden, und seine glasigen Augen quollen stärker heraus. »Nein, Herr, *nein!*« Das kreischte er nur noch verzweifelt. Er krallte sich an den kräftigen Armen und Händen fest, die ihn allein noch vor dem Sturz bewahrten. Sein Blick klärte sich und fand den Felsvorsprung, fand die sich herandrängenden Wölfe.

Thibor hatte beinahe körperlich den Strom von Energie spüren können, der von der fernen Burg ausgegangen war, hatte fast selbst gefühlt, wie der Zigany abgewiesen und zum Tode verurteilt worden war. Der Ferenczy war mit ihm fertig, warum also noch zögern?

Die beiden vordersten Wölfe, kräftige Tiere, deren Muskeln sich unter dem grauen Fell deutlich abzeichneten, traten ein Stück vor.

»Laß ihn fallen!« befahl Thibor mit rauher Stimme. Und völlig mitleidslos forderte er seinen Mitstreiter auf: »Laß ihn sterben, und dann kämpfe um das eigene Leben! Der Vorsprung ist schmal – Seite an Seite haben wir eine Chance!«

Sein Begleiter bemühte sich, den alten Mann loszuwerden, doch der Zigeuner klammerte sich wie eine Klette an seine Arme und kämpfte mit aller Kraft darum, seine Beine wieder auf den Felsvorsprung zu bekommen. Und dennoch war es für beide Männer bereits zu spät. Ohne Rücksicht auf das eigene Leben sprangen die beiden großen grauen Wölfe vor.

Sie warfen sich – nicht auf Thibor, den sie gar nicht beachteten, sondern direkt auf seinen untersetzten Kameraden, als der noch versuchte, Arvos' Hände abzustreifen. Sie trafen mit aller Wucht ihrer vereinigten Körper auf die menschliche Doppelgestalt und rissen den bulligen Wallachen und Arvos gleichzeitig mit sich über die Kante in die schwarz gähnende Tiefe.

Thibor hatte keine Möglichkeit zum Eingreifen. Er verschwendete auch keine weiteren Gedanken daran. Die Rudelführer hatten sich geopfert, auf einen Befehl hin, den er selbst nicht gehört hatte – oder doch? Jedenfalls waren sie willentlich für einen Zweck gestorben, den er nicht erkennen konnte. Er selbst aber war noch am Leben, und dieses Leben würde er teuer verkaufen!

»He, ihr alle!« heulte er dem Rudel entgegen, beinahe so, als spreche er die Sprache der Wölfe. »Kommt schon, wer will als erster meinen Stahl spüren?« Und einen langen Augenblick über rührte sich kein einziges dieser Tiere.

Dann – –

Dann rührten sie sich, doch nicht vorwärts! Statt dessen wandten sie sich um, schlichen weg und blickten höchstens noch einmal über sehnige, magere Schultern zu ihm zurück.

»Feiglinge!« wütete Thibor. Er trat einen Schritt vor, doch sie schlichen geduckt weiter und blickten sich wieder zu ihm um. Der Wallache riß Augen und Mund weit auf, als er plötzlich zu der Erkenntnis kam, daß sie gar nicht hier waren, um ihm zu schaden, sondern lediglich um sicher zu gehen, daß er allein mitkam!

Zum ersten Mal erhielt er nun einen Einblick in die wirkliche Macht des geheimnisvollen Bojaren und erkannte, warum der Wlad dessen Tod wünschte. Und jetzt wünschte er sich, er hätte die Warnungen seines Informaten am Hof nicht so in den Wind geschlagen. Selbstverständlich konnte er ins Dorf zurückgehen und den Rest seiner Männer holen – oder?

Hinter ihm, auf dem aus der Felswand herausgeschlagenen Pfad, drängten sich graufellige Körper mit blassen, heraushängenden Zungen. Thibor trat einen Schritt auf sie zu, doch sie rührten sich nicht vom Fleck, begannen lediglich zu knurren. Ein Schritt in die andere Richtung, zur Burg zu, und sie schlichen hinterher. Er hatte eine Eskorte.

»Freiwillig, ja?« murmelte er und blickte auf das Schwert in seiner Hand hinab. Es war das Schwert eines Varyagi-Kriegers, eine gute Wikingerwaffe, aber nutzlos, falls alle Tiere des Rudels ihn auf einmal angriffen. Falls sie den Befehl dazu erhielten. Das war Thibor nun klar, und er wußte auch, daß sie wußten, daß ihm das klar war.

Er steckte die Waffe in die Scheide zurück und besaß noch die Frechheit, zu befehlen: »Also, dann führt mich hin, Jungs – aber kommt mir nicht zu nahe, sonst werde ich mir eure Pfoten als Glücksbringer an den Gürtel hängen!«

Und so brachten sie ihn zu der Burg auf dem gespaltenen Felsen.

In seinem Grab unter der dünnen Erdschicht schauderte das alte Ding wieder, aber diesmal aus Furcht. Welches Monster auch in dieser Welt aus einem Mann werden mag – wenn er von seiner Jugend träumt, fürchtet er die gleichen Dinge, die er damals fürchtete. So erging es auch dem Thibor-Geschöpf, und nun brachte sein Traum ihn bis an die letzten Grenzen der Angst.

Die Sonne war fast gesunken. Ihr Rand war nur noch eine rote Brandblase auf den Bergkämmen. Doch noch immer stachen ihre Strahlen auf die Erde herab und ließen hier und da ein Land erglänzen, auf dem sich die Schatten sichtlich verlängerten und schließlich die goldenen Flecken des Sonnenscheins auslöschten. Aber selbst dann, als die Sonne vollständig untergegangen war und auf andere Länder herabschien, konnte Thibor nicht ›erwachen‹, jedenfalls nicht in der Art, wie Menschen erwachen, denn er träumte manchmal viele Jahre lang, bevor ihn wieder ein Anfall des abgründigen Hasses packte, den die Menschen als ›Wachen‹ bezeichnen. Es ist nicht angenehm, lediglich ein Etwas zu sein, das unter der Erde liegt, wach, einsam, unbeweglich, untot.

Doch das kraftvolle Blut, das die Erde durchnäßte, würde ihn ganz gewiß erwecken, sobald es ihn berührte. Auch jetzt schon weckte die Nähe jener warmen, kostbaren Flüssigkeit in ihm alte Leidenschaften. Seine Nase weitete sich in Erwartung dieses Dufts, sein vertrocknetes Herz ließ das uralte Blut schneller durch die Adern fließen, und sein vampirischer Kern stöhnte lautlos in seinem Schlaf, den er mit ihm teilte.

Thibors Traum war allerdings der stärkere. Er magnetisierte seinen Geist, er zog ihn in eine Erkenntnis hinein, die er seit altersher fürchtete, die er jedoch immer wieder aufs Neue erleben mußte.

Und drunten in der kalten Erde unter der von reglosen Bäumen umkränzten Lichtung, wo die Mauersteine des Mausoleums zerbrochen und von Flechten bewachsen am Boden lagen, träumte dieser untote Alptraum weiter ...

Der Pfad verbreiterte sich zu einer Allee zwischen hohen, dunklen Kiefern, die auf einem breiten Saum von seit Menschengedenken aufeinander geschichtetem Geröll wuchsen. Zu Thibors Linken erhoben sich jenseits der kerzengeraden Kiefernstämme glatte, senkrechte, schwarze Felsen mehrere hundert Meter hoch bis in einen sternübersäten, indigofarbenen Himmel. Zur Rechten standen die Bäume dicht an dicht, wuchsen bis hinunter in das hier nicht mehr so steile V der Kluft und auf der gegenüberliegenden Seite wieder hoch. Am Grund der Kluft gurgelte und strömte Wasser unter der nachtschwarzen Decke des Geästs verborgen. Der Wlad hatte recht gehabt: Mit einer bloßen Handvoll Männer – oder Wölfe – konnte der Ferenczy diese Burg leicht gegen ein ganzes Heer verteidigen. Drinnen in der Burg selbst mochte es allerdings anders aussehen, vor allem, falls der Bojar tatsächlich allein oder fast allein dort lebte.

Endlich ragte die Burg selbst vor Thibor auf. Das Mauerwerk war beeindruckend, doch löchrig und teilweise verfallen. Zu beiden Seiten der Kluft erhoben sich mehr als fünfundzwanzig Meter hohe, mächtige Türme. Sie waren in quadratischer Form gebaut, wiesen am Fuß kaum Merkmale auf, doch höher droben sah er die Rundbögen vergatterter Fenster, Vorsprünge und Balkone mit massiven Einfassungen, und die Mäuler von aus Stein gehauenen Fratzen und Kraken klafften weit und dunkel. Oben auf den Türmen ragten hinter breiten Zinnen schiefergedeckte Türmchen auf, doch auch dort zeigten sich gähnende Löcher. Alles schien reparaturbedürftig. Über allem dräute eine schwere Ausstrahlung von Verfall. Die Fäulnis lag gleich einer feuchtkalten Patina über dem Bau, als verströme der Stein selbst kalten und klammen Schweiß.

Auf der Innenseite erblickte Thibor in halber Höhe massive Stützpfeiler, beinahe genauso dick wie die Türme, die sich in einem einzigen Bogen quer über die Kluft spannten, wie eine Steinbrücke, die von Turm zu Turm fünfundzwanzig oder dreißig Schritt maß. Auf den Pfeilern stand ein aus Baumstämmen errichtetes Herrenhaus mit kleinen, viereckigen Fenstern. Es hatte ein spitz zulaufendes, mit schweren Schieferplatten gedecktes Dach. Das Haus und das Dach befanden sich in einer genauso schlechten Verfassung wie die Türme. Wären nicht zwei der Fenster von innen flackernd erleuchtet gewesen, hätte man den gesamten Komplex für unbewohnt und verlassen halten können. So hatte sich Thibor die Residenz eines großen, bedeutenden Bojaren nicht vorgestellt. Wäre er ein abergläubischer Mann gewesen, hätte er wohl leicht zu der Überzeugung kommen können, daß an diesem Ort Teufel lebten.

Die Ränge der Wölfe wurden lichter, als sie sich dem Mauerwerk der Burg näherten. Erst als der Wallache im Schatten dieser Mauern stand, sah er die einfachen Verteidigungsanlagen der Burg: einen direkt aus dem blanken Fels gehauenen Graben, fünf Schritt breit und fünf Schritt tief, an dessen Grund lange, spitze Pfähle so dicht beieinander eingerammt waren, daß jeder Mann, der dort hinunterfiel, unwiderruflich aufgespießt werden mußte. Dann sah er auch das Tor: schwere Eichenbohlen, mit Eisenbändern gefaßt, und so lang, daß es als Zugbrücke diente.

Noch während er das alles betrachtete, wurde das Tor unter Knirschen und Quietschen heruntergelassen. Schwere Ketten rasselten, als der Graben schließlich überbrückt war.

In der klaffenden Toröffnung stand eine Gestalt in einem weiten Umhang. Sie hielt eine brennende Fackel in der Hand. Von den Gesichtszügen konnte er der gleißenden Flammen wegen kaum etwas erkennen, nur daß sie blaß waren, bemerkte Thibor, und auch ganz vage eine groteske Verzerrung dieses bedrückenden Gesichts. Er hegte eine Vermutung, die sich auch sogleich als richtig herausstellte, als die Gestalt nämlich zu sprechen begann: »Also seid Ihr gekommen – aus freien Stücken!«

Man hatte Thibor oftmals vorgeworfen, ein kalter Mensch mit einer kalten, gefühllosen Stimme zu sein. Er hatte das auch nie bestritten. Doch wenn seine Stimme schon als kalt galt, dann konnte *diese Stimme* wohl nur aus dem Grab selbst stammen. Und obwohl er ganz zu Anfang die Stimme als beruhigend empfunden hatte, ging sie ihm jetzt auf die Nerven wie Zahnschmerzen oder kalter Stahl auf Knochen. Sie klang alt – wie dick bereifte Felsen und möglicherweise unter einer Kruste uralter Geheimnisse geborgen – aber ganz gewiß nicht senil. Diese Stimme besaß die Autorität aller dunklen Kenntnisse der Welt.

»Aus freien Stücken?« Thibor wagte es, sich umzusehen und die Gestalt dabei kurz aus dem Blick zu verlieren. Sie standen ganz allein vor der Burg. Die Wölfe waren mit der Nacht verschmolzen und in den Bergen verschwunden. Unter den Bäumen erglänzte einen Moment lang noch ein gelbes Augenpaar, aber das war alles.

Thibor wandte sich wieder seinem Gastgeber zu. »Ja, aus freien Stücken.«

»Dann seid mir willkommen!« Der Bojare steckte seine Fackel in eine Halterung gleich innerhalb des Torbaus, neigte den Oberkörper kurz zum Gruße und trat einladend zur Seite.

Und Thibor überquerte die Zugbrücke, um das Haus des Ferenczy zu betreten. Doch in dem Augenblick, da er unter den Torbogen trat, blickte er auf und sah den Wahlspruch, der in die vom Alter geschwärzten Eichenbohlen eingebrannt war. Er konnte weder lesen noch schreiben, aber der Mann im Umhang bemerkte seinen Blick und übersetzte die Inschrift für ihn: »Dort steht, daß dies das Haus von Waldemar Ferrenzig ist. Dann folgt ein Zeichen zur Datierung. Es besagt, daß die Burg beinahe zweihundert Jahre alt ist. Waldemar war ... er ... war mein Vater. Ich heiße Faethor Ferrenzig und werde von meinem Volk als ›der Ferenczy‹ bezeichnet.«

Nun lag eine Art wilder Stolz in dieser dunklen Stimme, und zum ersten Mal war sich Thibor seiner selbst nicht mehr ganz sicher. Er wußte nichts über die Burg. Es mochte sein, daß viele Männer drinnen auf ihn lauerten. Das geöffnete Tor wirkte auf ihn wie das aufgerissene Maul eines unbekannten Raubtiers.

»Ich habe Vorbereitungen getroffen«, sagte Thibors Gastgeber. »Essen und Getränke, und dazu ein Feuer, um Eure Knochen zu erwärmen.«

Er wandte ihm nun betont den Rücken zu, nahm aus einer dunklen Mauernische eine zweite Fackel und entzündete sie an der ersten. In dem Maße, wie die Flammen emporzüngelten, flohen die Schatten. Der Ferenczy warf seinem Gast noch einmal einen Blick zu – ohne ein Lächeln allerdings – und führte ihn hinein.

Und der Wallache ging hinter ihm drein.

Sie schritten schnell durch düstere Korridore zwischen blanken Mauern, durch Vorräume, enge Türen, bis ins Herz des Turms, dann eine steinerne Wendeltreppe hinauf zu einer schweren Falltür in einem mit großen Platten belegten Fußboden, der von mächtigen schwarzen Balken gestützt wurde. Die Falltür stand offen, und der Ferenczy hob seinen Umhang an, bevor er hochstieg in einen hell beleuchteten Raum.

Thibor klomm dicht hinter ihm hinauf und gab dem anderen keine Zeit, sich zu sammeln. Als er oben von der Treppe in den Raum trat, schauderte er. Hätte jemand auf ihn gewartet, wäre es so leicht gewesen, ihm einen Speer in den Leib zu rammen oder seinen Kopf abzuschlagen. Doch vom Herrn des Ganzen abgesehen, war der Raum menschenleer.

Thibor sah seinen Gastgeber an und blickte sich dann um. Der Raum war lang, breit und hoch. Die Deckenbohlen wiesen viele Löcher auf.

Im flackernden Feuerschein erblickte er durch die Lücken hindurch ein Schieferdach, in dem ebenfalls eine Reihe der Platten fehlte und so den Blick auf die Sterne freigab, die ihrerseits im Rauch des Feuers zu schwimmen schienen. Dem Wetter waren hier Tür und Tor geöffnet. Im Winter wurde es bestimmt bitterkalt. Selbst jetzt wäre es nicht gerade warm im Raum gewesen, wenn nicht das Feuer prasselnd gebrannt hätte.

Kiefernscheite flammten hell in einem riesigen offenen Kamin. Den Rauchabzug hatte man schräg angesetzt, so daß er durch eine Seitenwand hinausführte. Die Scheite brannten auf einem Gitter aus krummen Eisenstäben, die wohl von vielen solcher Feuer verformt worden waren. Ganz vorn am Feuer brutzelten sechs Schnepfen an kurzen Spießen über der rot glimmenden Asche. Sie waren mit Kräutern bestreut worden, und ihr Duft ließ Thibor das Wasser im Mund zusammenlaufen.

Nahe am Feuer standen ein wuchtiger Tisch und zwei Stühle aus Eichenholz. Der Tisch war gedeckt mit Holztellern, Messern und einem Steinkrug, der Wein oder Wasser enthielt. Und in der Mitte dampfte auf einer Holzplatte bereits ein mächtiger Fleischknochen. Auch eine Schale mit getrocknetem Obst stand da, und eine weitere mit Scheiben groben, dunklen Brots. Offensichtlich lag es nicht in der Absicht seines Gastgebers, Thibor verhungern zu lassen!

Er sah sich die Wand hinter dem Kamin noch einmal genauer an. Der untere Teil war gemauert, doch weiter oben bestand sie aus Holzbohlen. Ein viereckiges Fenster stand der Bergnacht offen. Er ging hin und erblickte draußen eine schwindelerregende Szenerie: die Schlucht mit dem dunklen Pelz der dicht stehenden Kiefern, und weit entfernt im Osten die ausgedehnten schwarzen Wälder. Und nun wurde dem Woiwoden klar, daß er sich in einem Raum genau in der Mitte des Mauerbogens befand, der sich über die schmale Kluft zwischen den Türmen spannte.

»Seid Ihr beunruhigt, Wallache?«

Faethor Ferenczys sanfte Stimme – ja, jetzt klang sie sanft! – schreckte ihn auf.

»Beunruhigt?« Thibor schüttelte bedächtig den Kopf. »Nur nachdenklich. Und überrascht – Ihr wohnt hier ganz allein?«

»Ach? Hattet Ihr etwas anderes erwartet? Hat Euch Arvos, der Zigeuner, nicht berichtet, daß ich allein lebe?«

Thibors Augen verengten sich zu schmalen Schlitzen. »Er hat mir so einiges erzählt – und jetzt ist er tot.«

Der andere zeigte nicht die geringste Überraschung und auch keinerlei Bedauern. »Der Tod ereilt alle Menschen«, sagte er lediglich.

»Meine beiden Freunde! Auch sie sind tot.« Thibors Stimme wurde härter.

Der Ferenczy zuckte die Achseln. »Der Aufstieg nach hier ist schwierig. Im Laufe der Jahre hat er viele Leben gekostet. Aber – Ihr habt sie als Freunde bezeichnet? Dann hattet Ihr Glück. Ich habe keine Freunde.«

Thibors Hand glitt in die Nähe seines Schwertgriffs. »Ich glaubte, ein ganzes Rudel Eurer ›Freunde‹ habe mir den Weg nach hier gewiesen ...?«

Sofort trat sein Gastgeber zu ihm hin. Es war kein Schritt, den er tat, sondern eher eine gleitende Bewegung. Der Mann floß zu ihm hin wie Wasser. Eine lange Hand, schlank aber kräftig, lag mit einem Mal *unter* Thibors eigener auf dem Heft seines Schwertes. Sie fühlte sich an wie die Haut einer Schlange. Thibor überlief eine Gänsehaut und er riß seine Hand weg.

Im gleichen Augenblick zog der Bojar das Schwert – wieder mit einer derart fließenden Bewegung – aus der Scheide. Der Wallache stand verblüfft und entwaffnet da.

»Ihr könnt doch nicht essen, wenn sich dieses lange Ding in Euren Beinen verheddert«, erklärte ihm der Ferenczy. Er wog das Schwert prüfend wie ein Spielzeug in den Händen und verzog die Lippen zu einem dünnen Lächeln. »Aha, die Waffe eines echten Kriegers. Und seid Ihr ein solcher Krieger, Thibor von Wallachien? Ihr seid Woiwode, ja? Ich habe vernommen, daß Wladimir Swiatoslawitsch viele Offiziere anwirbt – sogar unter den Bauern.«

Wieder wurde Thibor überrumpelt. Er hatte dem Ferenczy seinen Namen nicht gesagt und auch den Wlad in Kiew nicht erwähnt. Doch bevor er sich eine Antwort überlegt hatte, fuhr sein Gastgeber fort: »Kommt, Euer Essen wird kalt. Setzt Euch, eßt, und wir unterhalten uns.« Er warf Thibors Schwert auf eine mit weichen Fellen bedeckte Sitzbank.

Auf dem breiten Rücken trug Thibor eine Armbrust. Er ließ nun den Riemen von der Schulter gleiten und gab dem Ferenczy seine Waffe. Es würde im Ernstfall ohnehin zu lange dauern, sie zu laden. Und im Nahkampf war sie nutzlos gegen einen Gegner, der sich derart schnell bewegte. »Wollt Ihr mein Messer auch noch haben?«

Faethor Ferenczy blieb der Mund offen stehen, und dann lachte er auf. »Ich wünsche nur, daß Ihr an meinem Tisch bequem sitzt. Behaltet Euer Messer. Hier liegen doch noch mehr davon herum – um das Fleisch zu erdolchen.« Er warf die Armbrust zu dem Schwert auf die Bank.

Thibor blickte ihn an und nickte schließlich. Er schüttelte seine schwere Jacke ab und ließ sie achtlos zu Boden fallen. Sodann setzte er sich an ein Ende des Tisches und sah zu, wie der Ferenczy die Speisen in seine Reichweite schob. Dann füllte sein Gastgeber zwei hohe eiserne Becher mit Wein aus dem Krug und setzte sich ihm gegenüber.

»Eßt Ihr nicht mit mir?« Thibor hatte mit einem Mal wirklich Hunger, wollte aber nicht zuerst zugreifen. Im Schloß zu Kiew hatten sie stets gewartet, bis der Wlad den ersten Bissen genommen hatte.

Feathor Ferenczy streckte einen enorm langen Arm aus und schnitt energisch eine Scheibe Fleisch ab. »Ich werde eine Schnepfe essen, sobald sie fertig sind«, sagte er. »Doch wartet nicht auf mich – eßt, was immer Ihr wollt.«

Er spielte nur mit seinem Essen, während Thibor sich hungrig ans Werk machte.

Der Ferenczy beobachtete Thibor eine Weile, und dann sagte er: »Es scheint nur recht und billig, daß ein großer Mann auch großen Appetit hat. Ich habe auch ... einen gewissen Appetit, der durch diese Umgebung allerdings eingeschränkt wird. Deshalb interessiert Ihr mich, Thibor. Wir könnten Brüder sein, oder? Oder ich könnte sogar Euer Vater sein! Ja, große Männer sind wir beide – und Ihr seid ein Krieger und recht furchtlos. Ich vermute, es gibt nicht viele wie Euch auf der Welt ...«

Und nach einer kurzen Pause fragte er völlig unvermittelt: »Was hat Euch der Wlad über mich erzählt, bevor er Euch sandte, um mich an seinen Hof zu zitieren?«

Thibor hatte sich vorgenommen, sich nicht ein drittes Mal überrumpeln zu lassen. Er schluckte erst einmal, was er im Mund hatte, und erwiderte den Blick von der anderen Seite des Tisches. Jetzt, im Schein des Feuers und der flackernden Fackeln in ihren Wandhalterungen, gestattete er sich einen genaueren Blick auf den Burgherren.

Es wäre sinnlos, überlegte Thibor, das Alter dieses Mannes schätzen zu wollen. Er schien Alter zu verströmen wie ein uralter Monolith, und doch bewegte er sich mit der unglaublichen Schnelligkeit einer zustoßenden Schlange und der eleganten Leichtigkeit eines jungen Mädchens. Seine Stimme klang einmal hart wie ein Felsen und dann wieder sanft wie der Kuß einer Mutter, und dennoch erschien auch sie über alle Maße alt. Was die Augen des Fenerenczy betraf: Sie lagen tief in dreieckigen Höhlen, wiesen schwere Lider auf, und es war beinahe unmöglich, ihre Farbe festzustellen. Aus einem Winkel erschienen sie schwarz und glänzend wie nasse Kieselsteine, während sie aus einem anderen Winkel betrachtet gelb wirkten, mit Gold in den Pupillen. Es waren gebildete Augen, voll der Weisheit, doch auch wild und voller heimlicher Sünden.

Dann die Nase. Faethor Ferenczys Nase und die spitzen, fleischigen Ohren waren die häßlichsten Teile seines Gesichts. Sie ähnelte eher einer Hundeschnauze als einer richtigen Nase. Die ganze Länge hob sich nur wenig vom Gesicht ab. Auf die Oberlippe zu wurde sie beinahe platt. Die großen Nasenlöcher zogen sich ein wenig nach oben hin. Direkt unter der Nase – tatsächlich sogar ein wenig zu nahe – hob sich der geschwungene, breite Mund mit seinen kräftig-roten Lippen von der ansonsten blassen, großporigen Haut ab. Beim Sprechen öffneten sich die Lippen kaum. Aber soweit der Wallache sehen konnte, waren die Zähne groß, eckig und gelb. Was er an ihnen noch bemerkte, waren die Eckzähne, die eigenartig gekrümmt und spitz wie kleine Sicheln wirkten, aber da war sich Thibor nicht ganz sicher. Traf es wirklich zu, machte es den Mann eher noch wolfsähnlicher.

So oder so war dieser Faethor Ferenczy ein häßlicher Mann. Und doch ... Thibor hatte schon genug häßliche Männer gesehen. Und er hatte auch eine Menge von ihnen getötet.

»Der Wlad?« Thibor schnitt mehr Fleisch ab und nahm einen Zug roten Weins. Er war ziemlich sauer, aber nicht schlimmer als der, an den er ohnehin gewöhnt war. Dann sah er wieder den Ferenczy an und zuckte die Achseln. »Er sagte mir, daß Ihr unter seinem Schutz wohnt, ihm aber keine Gefolgschaft leistet. Daß Ihr Land besitzt, doch keine Steuern eintreibt und bezahlt. Daß Ihr viele Männer aufbringen könntet, es aber vorzieht, hier zu sitzen und vor Euch hinzubrüten, während andere Bojaren gegen die Petschenegen kämpfen, um Eure Haut heil zu erhalten.«

Einen Moment lang riß der Ferenczy die Augen weit auf. In ihren Winkeln schien sich Blut zu zeigen, und seine Nasenlöcher weiteten sich, während er hörbar grollte. Seine Oberlippe kräuselte sich ein wenig, und die gezackten, spitzen Augenbrauen schoben sich unter der blassen, hohen Stirn eng zusammen. Dann ... lehnte er sich zurück, entspannte sich sichtlich, grinste und nickte.

Thibor hatte mit dem Essen aufgehört, doch als der Ferenczy sich so offensichtlich beherrschte, fuhr er damit fort. Zwischen zwei Bissen sagte er: »Habt Ihr geglaubt, ich wolle Euch schmeicheln, Faethor Ferenczy? Oder daß Eure Täuschungsmanöver mich abschrecken würden?«

Der Burgherr runzelte die Stirn, wobei sich auch seine Nase runzelte. »Meine ... Täuschungsmanöver?«

Thibor nickte. »Die Ratgeber des Prinzen – christliche Mönche aus dem Land der Griechen – halten Euch für eine Art von Dämon, einen Vampir! Er selbst glaubt das wahrscheinlich auch. Aber ich bin nur ein einfacher Mann – ja, ein Bauer, wenn Ihr wollt – und ich sage, Ihr seid ein raffinierter Betrüger. Ihr sprecht über Spiegelsignale mit den hörigen Zigany, und Ihr haltet ein paar dressierte Wölfe, die Euch wie Hunde dienen. Ha! Räudige Hunde! In Kiew, da gibt es einen Mann, der große Bären an der Leine mit sich führt, und er tanzt sogar mit ihnen! Und was habt Ihr sonst noch zu bieten, eh? Nichts! Oh ja, Ihr ratet sehr geschickt – und dann tut Ihr so, als hätten Eure Augen besondere Macht, als könnten sie über Wälder und Berge hinwegblicken. Ihr hüllt Euch in diesen Hinterwäldern in Geheimnisse und Aberglauben, aber das wirkt nur auf jene, die abergläubisch sind. Und wer ist am eindeutigsten abergläubisch? Gebildete Männer, Mönche und Prinzen! Sie wissen so viel – ihre Hirne bersten beinahe vor Wissen – daß sie bereit sind, alles zu glauben! Aber ein einfacher Mann, ein Krieger, glaubt nur an Blut und Eisen. Das erste gibt ihm die Kraft, das zweite zu verwenden, und das zweite hilft ihm, das erste in roten Strömen fließen zu lassen.«

Ein wenig von sich selbst überrascht, schwieg Thibor und wischte sich den Mund ab. Der Wein hatte ihm die Zunge gelöst.

Der Ferenczy hatte wie versteinert dagesessen. Nun lehnte er sich auf dem Stuhl zurück, klatschte mit einer schlanken, flachen Hand auf den Tisch und brüllte vor Lachen. Und Thibor sah, daß seine Eckzähne tatsächlich wie die eines großen Hundes aussahen.

»Was? Weisheiten von einem Krieger?« rief der Bojare. Er deutete mit einem schmalen Finger auf ihn. »Aber Ihr habt so *recht*, Thibor! Ihr habt recht mit Eurer Offenheit, und das gefällt mir an Euch! Und ich bin froh, daß Ihr gekommen seid, gleich aus welchem Grund. Hatte ich nicht recht damit, als ich sagte, Ihr könntet mein Sohn sein? Jawohl, ich hatte recht! Ein Mann, ganz nach meinem Herzen – vielleicht auf mehr als eine Art, ja?«

Seine Augen leuchteten wieder rot – sicherlich nur eine Wirkung des Feuerscheins, oder? –, aber Thibor vergewisserte sich doch, daß ein Messer griffbereit neben ihm lag. Vielleicht war der Ferenczy verrückt. Auf jeden Fall wirkte er verrückt, als er derart lachte.

Als ein Holzklotz zur Seite fiel, prasselte das Feuer auf. Es roch nach etwas Verbranntem. Die Schnepfen! Beide hatten sie die Vögel vergessen. Er entschloß sich, mildtätig zu sein und den Einsiedler essen zu lassen, bevor er ihn tötete.

»Eure Vögel«, sagte er, oder versuchte er zu sagen, als er aufspringen wollte.

Doch die Worte kamen irgendwie nicht richtig aus seinem Mund, klangen verzerrt und fremdartig. Noch schlimmer: Er konnte nicht aufstehen. Seine Hände schienen am Tisch festzukleben, und seine Füße waren so schwer wie Bleiklumpen!

Thibor blickte auf seine verkrampften, zuckenden Hände und seinen fast gelähmten Körper herab, und selbst sein angsterfüllter Blick war langsam, von einer unnatürlichen, quälenden, schläfrigen Langsamkeit. Es kam ihm vor, als sei er betrunken, und zwar schlimmer als je zuvor in seinem Leben. Nur der kleinste Schubs, da war er sicher, würde reichen, ihn zu Boden stürzen zu lassen.

Dann fiel sein Blick auf seinen Becher, auf den Rotwein aus jenem Krug. Wie Essig, ja. Und noch schlimmer. Er war vergiftet worden!

Der Ferenczy beobachtete ihn aufmerksam. Mit einem Mal seufzte er und erhob sich. Nun erschien er noch größer, jünger und stärker. Geschmeidig trat er ans Feuer und warf den Spieß mitsamt den Schnepfen in die Flammen. Es zischte, dampfte, und einen Augenblick später brannten sie.

Der Hausherr wandte sich wieder Thibor zu, der reglos am Tisch saß und ihm zusah. Kein einziger Muskel in Thibors Körper gehorchte den verzweifelten Befehlen seines Hirns. Es war, als habe er sich zu Stein verwandelt. Auf seiner Stirn bildeten sich kalte Schweißtropfen.

Der Ferenczy kam näher und stand nun direkt vor ihm. Thibor musterte ihn, so gut er konnte, die langen Kiefer, den verformten Schädel, die platte Hundenase. Ein häßlicher Mann, ja, und vielleicht mehr als nur ein Mann.

»V-v-ver-gif-tet!« brachte der Wallache schließlich mühsam heraus.

»Was?« Der Ferenczy hielt den Kopf schräg und blickte auf ihn herab. »Vergiftet? Nein, nein«, wehrte er ab, »lediglich unter Drogen gesetzt. Ist Euch nicht klar, daß Ihr längst gestorben wärt – zusammen mit Arvos und Euren Freunden – hätte ich Euren Tod gewünscht? Aber solche Tapferkeit! Ich bewies Euch, wozu ich fähig bin, und doch seid Ihr weitergegangen! Oder seid Ihr einfach nur stur? Vielleicht sogar dumm? Im Zweifel für den Angeklagten, so heißt es ja wohl, und deshalb bezeichne ich Euch als tapfer, denn mit Narren will ich meine Zeit nicht verschwenden.«

Thibor warf all seine Willenskraft in die Waagschale und schob seine rechte Hand mühevoll und ruckartig auf ein Messer zu, das vor ihm auf dem Tisch lag.

Sein Gastgeber lächelte, nahm das Messer und hielt es ihm hin.

Thibor saß da und zitterte vor Anstrengung, war jedoch genauso wenig in der Lage, das Messer in die Hand zu nehmen, wie aufzustehen. Der gesamte Raum begann jetzt zu verschwimmen, zu schmelzen, floß zwanghaft in einen dunklen, unwiderstehlichen Strudel hinein und nahm ihn mit. Das Letzte, was er wahrnahm, war das schreckliche Gesicht des Ferenczy, der sich über ihn beugte. Diese bestialische, tierische Fratze, deren Mund/ Maul/Schnauze lachend offen stand, und *die rote, gespaltene Zunge, die wie eine verkrüppelte Schlange in seiner Mundhöhle zuckte und bebte!*

Das alte Ding unter der Erde schreckte hoch! Der Alptraum hatte es aufgeweckt, aber da war noch etwas ...

Einen Augenblick lang überlief ein Schauder des Schreckens wegen dieses Traums das Thibor-Ding, bevor es sich daran erinnerte, wer, wo und was es war. Und dann schauderte es noch einmal, diesmal aber voller Wonne.

Blut!

Die schwarze Erde seines Grabs war getränkt, gesättigt von Blut! Blut berührte es/ihn, sickerte wie Öl durch Humus, Wurzelwerk und Erdboden und berührte ihn. Von unzähligen Kapillaren, von Myriaden durstiger Fasern angesaugt, drang es in ihn ein, füllte seine ausgetrockneten Poren und Adern, seine schwammigen Organe und die gähnenden, schmerzenden Zellen seiner Knochen.

Blut – Leben – erfüllte den Vampir. Die von Jahrhunderten der Inaktivität betäubten Nerven erwachten jäh zum Leben und versetzten unglaubliche, nichtmenschliche Sinne augenblicklich in neue Bereitschaft.

Er schlug die Augen auf – und schloß sie sofort wieder. Erde. Dunkelheit. Er war nach wie vor begraben. Wie immer lag er in seinem Grab. Er blähte seine Nasenlöcher auf und schloß auch diese sogleich wieder, allerdings nicht ganz. Er roch die Erde, ja, aber er roch auch das Blut. Und nun, endlich ganz erwacht, begann er, ganz langsam seine Umgebung zu untersuchen.

Er wog die Erdschicht über ihm, tastete instinktiv danach. Dünn, eine sehr dünne Schicht. Keine sechzig Zentimeter. Und darüber noch einmal ein Handbreit einer Schicht aus abgestorbenem, zusammengebackenem Laub. Oh ja, damals war er viel tiefer begraben worden, doch im Laufe der Jahrhunderte hatte er sich näher zur Oberfläche hin gewühlt. Jedenfalls dann, wenn seine Kraft dafür ausreichte.

Er streckte sich, schob Fühler wie rote Würmer durch die Erde hoch – und riß sie hastig zurück. Oh ja, die Erde war wirklich mit Blut durchtränkt, und es war überdies Menschenblut, aber ... wie konnte das angehen? Sollte es – war das wirklich und wahrhaftig möglich – das Werk Dragosanis sein?

Das Ding streckte die Fühler seines Geistes aus und rief leise: *Dragosaaaniii? Bist du das, mein Sohn? Hast du das getan – mir diesen wundervollen Tribut überbracht, Dragosaaaaniii?*

Seine Gedanken berührten die anderer – doch es waren saubere, unschuldige Gedanken. Menschliche Geister, die niemals von ihm befleckt worden waren. Aber Menschen? Hier in diesen gemiedenen Bergen? Was brachte sie hierher? Wieso waren sie an sein Grab gekommen und hatten die Erde mit Blut ... hatten ihn –

Geködert?

Das Thibor-Ding riß seine Gedanken zurück, seine protoplasmischen Auswüchse, seine geistigen Fühler, und flüchtete in sich selbst hinein. Furcht und Haß zuckten durch jeden Nerv. War das die Lösung? Hatten sie sich nach all den langen Jahren an ihn erinnert und wollten ihm jetzt ein Ende machen? Hatten sie ihn hier ein halbes Jahrtausend lang liegen lassen, nur um jetzt zu kommen und ihn zu vernichten? Hatte Dragosani vielleicht von ihm erzählt, und irgend jemand hatte die Gefahr erkannt, die hier begraben lag?

Mit bebenden Sinnen lag das Ding da. Sein kaum noch menschlich zu nennender Körper zitterte vor Erregung, lauschte, fühlte, roch, schmeckte, gebrauchte all seine geschärften Vampirsinne außer dem des Sehens. Doch selbst den konnte er benützen, falls er das wagte.

Aber trotz seiner Furcht und Aufmerksamkeit war das, was er nicht spürte, die Gefahr. Und den Geruch nach Gefahr nahm er sonst genauso unfehlbar wahr wie den nach Blut.

Welche Tageszeit mochte draußen herrschen?

Sein Beben legte sich, als er dem Problem der Zeit einige Augenblicke des Überlegens widmete. Tageszeit? *Ha!* Welcher Monat mochte angebrochen sein, welche Jahreszeit, welches Jahr, welches Jahrzehnt? Wie lange war es her, daß der junge Dragosani – das Kind, in dem sich alle Hoffnungen und bösen Sehnsüchte Thibors vereinigten – ihn hier besucht hatte? Und noch wichtiger: Herrschte draußen Nacht ... oder Tag?

Nacht. Das spürte der Vampir. Die Dunkelheit sickerte durch die Erde herab wie das fette, dunkle Blut, das sie begleitete. Es war Nacht, *seine* Zeit, und das Blut hatte ihm eine Kraft, eine Elastizität, eine Motivation und eine Beweglichkeit verliehen, die er während der Jahrhunderte hier unter der Erde beinahe vergessen hatte.

Er fühlte erneut mit seinen Gedanken hinaus, um die Menschen draußen auf der Lichtung zwischen den reglosen Bäumen gleich über seinem Grab zu berühren. Er lenkte seine Gedanken nicht direkt zu ihnen, bemühte sich nicht, sich mit ihnen zu verständigen, sondern berührte ihre Gedanken nur ganz leicht und kaum spürbar.

Ein Mann und eine Frau. Also nur zwei. Waren es Liebende? Liebten sie sich hier draußen in der Natur? Im Winter? Ja, es war tatsächlich Winter, und der Boden war kalt und hart gefroren. Und was war mit dem Blut? Handelte es sich ... um einen Mord?

Der Geist der Frau war ... voller Alpträume! Sie schlief oder lag bewußtlos da, doch die Panik in ihrem Geist war noch frisch und ihr Herz klopfte wie rasend, fiebrig vor Angst. Was hatte sie so erschreckt?

Und was den Mann betraf, so lag er im Sterben. Es war sein Blut, das Thibor aufgenommen hatte und das nun noch immer sein gesamtes vampirisches Lebenssystem nährte. Was war mit den beiden geschehen? Hatte er sie hierher gelockt, sie angefallen, und hatte sie ihn niedergestochen, bevor er sie mißbrauchen konnte?

Thibor versuchte etwas tiefer in den Geist des sterbenden Mannes einzudringen. Da war Schmerz – soviel Schmerz! Er hatte den Verstand des Mannes betäubt, für ihn verschlossen, und nun war alles nur noch taub und ergab sich einer schmerzerfüllten Leere. Es war die ultimative Leere, die man den Tod nennt und die ihr Opfer voll und ganz verschlingen würde.

Aber dieser Schmerz – wirkliche Agonie!

Das Ding unter der Erde streckte bewegliche, fleischige Fühler aus, um der ausströmenden Lebensflüssigkeit des Mannes nachzuspüren; rote Würmer aus nichtmenschlichem Fleisch schoben sich aus seinem vom Alter runzligen Gesicht, aus der eingefallenen Brust, den verschrumpelten Gliedmaßen, bohrten sich wie Regenwürmer nach oben, oder wie die Auswüchse einer ekelhaften Qualle; sie folgten der roten Spur und näherten sich von allen Seiten her ihrer Quelle.

Das rechte Bein des Mannes war oberhalb des Knies gebrochen. Spitze Knochenfragmente hatten wie Messer die Arterien aufgeschnitten, Arterien, die auch jetzt noch dünne Rinnsale dampfenden Rots auf die kalte, tote Erde sprudeln ließen. Aber dieser Gedanke war einfach zu stark. Er weckte das Tier in dem Thibor-Ding. Augenblicke später war er rasend vor Hunger. Die mächtigen Hundekiefer knackten und öffneten sich unter der harten Erde, verkrustete Lippen bebten, Speichel entströmte ihnen, und die weit geöffneten Nasenlöcher wirkten wie schwarze Trichter.

Aus seinem Hals heraus entsandte das Ding einen dicken Tentakel aus quellendem Protoplasma, der kleine Wurzeln und Kiesel und lose Erde beiseite schob, bis er auftauchte und wie ein giftiger, belebter Pilz auf jener Lichtung mit Thibors Mausoleum vor sich hin nickte. An der Spitze ließ er ein rudimentäres Auge entstehen und weitete gleich darauf die Pupille, um in der Dunkelheit besser sehen zu können.

Er sah den sterbenden Mann: einen hochgewachsenen, gut aussehenden Mann, was sein gutes, starkes Blut erklären mochte, seine Qualität und Menge.

Ein intelligenter Mann mit hoher Stirn. Und doch lag er hier verkrümmt auf der harten Erde, und das Leben floß aus ihm bis hin zum letzten heißen Tropfen.

Thibor war nicht in der Lage, ihn zu retten, und er hätte das andernfalls auch gar nicht getan. Aber genausowenig wollte er ihn verschwenden. Ein flüchtiger Blick aus dem obszönen Auge, um sicher zu gehen, daß die Frau noch nicht aus ihrer Ohnmacht erwachte, und dann sandte er eine Unzahl winziger roter Mäuler aus seinem klaffenden Gesicht nach oben: Hohlröhren wie kleine Schmollmünder, die in die offene Wunde glitten und den allerletzten Tropfen der heißen Flüssigkeit aufsaugten, die dort noch floß.

Dann –

Thibors gesamte höllische Persönlichkeit gab sich der reinen Ekstase hin – dem schwarzen Genuß, dem unheiligen Rausch – diese rote, lebenserhaltende Flüssigkeit direkt aus den Adern eines Opfers zu saugen. Es war ... es war einfach unbeschreiblich schön!

Es war wie bei der ersten Frau im Leben eines Mannes. Nicht wie der ungeschickte, hastige, unkontrollierte Erguß auf den Bauch eines Mädchens oder in ihr Schamhaar hinein, sondern wie beim ersten Mal, wenn er in einem Akt der Erlösung seinen heißen Samen in eine stöhnende, befriedigte Frau hineinpumpt. Es war wie beim ersten getöteten Gegner in einer Schlacht, wenn der Kopf des feindlichen Kriegers fällt oder das Schwert tief in den Hals oder das Herz eindringt. Es war der scharfe, beißende Schmerz eines Sprunges ins eiskalte Wasser eines Bergsees; der Anblick eines Schlachtfeldes, auf dem die übereinandergeworfenen Leichen eines Heeres dampfen und stinken; die Bewunderung von Kriegern, die das Banner eines Mannes in Anerkennung seines Sieges schwenken. Genauso süß war die Ekstase jetzt – doch leider ging sie nur zu schnell vorbei.

Das Herz des Mannes pumpte nicht mehr. Sein Blut, das wenige, was noch davon übrig war, stand still. Die breiten roten Lachen verfestigten sich und verschweißten verfaulende Blätter durch ihre Kruste. Beinahe bevor es richtig begonnen hatte, war das prachtvolle Festmahl bereits vorüber?

Oder doch nicht ...?

Das Thibor-Ding drehte sein Stielauge der Frau zu. Sie war blaß, attraktiv, feingliedrig. Sie wirkte wie das hübsche Spielzeug eines reichen Bojaren, mit dünnem, aristokratischem Blut gefüllt. Fiebrige rote Flecken gaben ihren Wangen einen Anschein von Frische, doch ansonsten war ihre Haut totenblaß. Es war kalt, würde noch kälter werden, und sie würde erfrieren, wenn das alte Ding unter der Erde sie nicht vorher tötete.

Der Stiel mit dem Auge an der Spitze verlängerte sich, schob sich weiter aus der Erde. Er war graugrün gesprenkelt, doch jetzt pulsierten darin blutrote Äderchen direkt unter der protoplasmischen Hautoberfläche. Er näherte sich schwankend der Frau und richtete sich schließlich vor ihrem Gesicht auf.

Ihr schwacher, unregelmäßiger Atem ließ das Auge anlaufen, so daß der Vampir es ein Stück zurückzog. An ihrem Hals flatterte eine dicke

Ader wie ein erschöpfter Vogel. Ihre Brust hob und senkte sich, hob sich und ...

Das phallische, lidlose Auge schwankte über ihrem Hals, beobachtete das Pulsieren ihrer Schlagader. Dann löste sich das Auge ganz langsam auf und die roten Adern des leprösen Pilzstiels bebten unter der Hautoberfläche und verfärbten sich zu einem tieferen Rot. An Stelle des Auges bildete sich nun eine Reptilienschnauze, so daß der Tentakel wie eine blinde, gesprenkelte Schlange wirkte. Die Kiefer öffneten sich und eine gespaltene Zunge zitterte zwischen Reihen nadelspitzer Reißzähne. Speichel tropfte aus den Mundwinkeln und fiel auf die schmutzige Erde. Der Kopfteil des ekelerregenden Glieds schob sich zurück und bildete das tödliche S einer zum Zuschlagen bereiten Kobra.

Und –

– und das Thibor-Geschöpf riß sich innerlich gewaltsam zusammen und ließ alle körperlichen Aktivitäten sofort ersterben, erstarrte auf dem Fleck. Im letzten Moment war ihm bewußt geworden, was es zu tun beabsichtigte, und in welch extreme Gefahr es seine zügellose Lust bringen würde.

Dies waren nicht mehr die alten Zeiten, sondern völlig neue! Das zwanzigste Jahrhundert! Außerhalb uralter, vergilbter Chroniken war sein Grabmal hier unter den Bäumen längst vergessen! Doch wenn er dieser Frau das Leben raubte, was dann? Ah! Er wußte, was dann folgen würde!

Suchtrupps würden nach ihrem Verbleib forschen. Früher oder später würde man sie entdecken, hier in der Lichtung zwischen reglosen Bäumen, gleich beim Mausoleum. Jemand würde sich erinnern. Irgendein alter Narr würde flüstern: »Aber – dieser Ort ist geächtet, verboten!« Und ein anderer würde sagen: »Ja, denn sie haben vor langer, langer Zeit dort etwas begraben. Mein Ururgroßvater hat Geschichten von dem Ding erzählt, das sie in diesen kreuzförmig verlaufenden Hügeln begraben haben. Mein Opa wollte den Kindern mit der Geschichte Angst machen, wenn sie böse gewesen waren!«

Dann würden sie die alten Aufzeichnungen hervorkramen und sich daran erinnern, was man vormals gegen ihn tat, und sie würden im hellen Tageslicht kommen und die Bäume fällen, die uralten Steinplatten freilegen und in der fauligen Erde graben, bis sie auf ihn stießen. Sie würden ihm noch einmal Pflöcke durch den Körper treiben, doch diesmal ... diesmal ... *diesmal würden sie seinen Kopf entfernen und verbrennen!*

Sie würden ihn ganz und gar verbrennen!

Thibor focht eine entsetzliche Schlacht mit sich selbst aus. Der Vampir in ihm, der ihn neunhundert Jahre lang beherrscht hatte, war außer sich vor Blutrausch. Aber Thibor *selbst* konnte immer noch wie ein Mensch denken, und seine Überlegungen waren stichhaltig. Der Thibor-Vampir fühlte im Augenblick nur seine Gier, doch der Thibor-Mensch blickte weit darüber hinaus. Und er hatte bereits seine eigenen Pläne! Pläne, die mit dem Jungen, mit Dragosani, zu tun hatten.

Dragosani war mittlerweile in Bukarest auf der Schule, ein bloßer Teenager, aber das alte Ding unter der Erde hatte ihn schon verdorben. Er hatte ihm die Kunst der Nekromantie beigebracht, ihm gezeigt, wie man Geheimnisse erfahren konnte, die nur Tote kannten. Und Dragosani würde immer wiederkehren, auf seiner Suche nach neuen Kenntnissen hierher kommen, denn das alte Ding unter der fauligen Erde war gewiß die Quelle aller dunklen Geheimnisse.

Mittlerweile wuchs in ihm ein Vampir-Samen oder -Ei heran, der schmutzige, egelgleiche Klon der Thibor-Kreatur, ein einziger Tropfen einer völlig fremdartigen Flüssigkeit, die den gesamten komplexen Code des neuen Vampirs in sich trug. Doch das war ein langsamer, sehr langwieriger Prozeß. Eines Tages würde Dragosani, mittlerweile zum Mann herangewachsen, in diese Berge zurückkehren, und dann war das Ei soweit. Ein Mann, erfüllt von einem monströsen Talent, würde kommen, auf der Suche nach dem ultimativen Geheimnis der Wamphyri ... aber wenn er wieder ging, würde er den jungen Vampir bei sich haben, *in sich.*

Danach würde er erneut kommen – eine zwanghafte Rückkehr – und zu dieser Zeit würde Thibor zur Durchführung der letzten Phase seines Planes bereit sein. Dragosani würde kommen, Dragosani *und* Thibor würden gehen – zusammen. Dann endlich wäre der Zyklus abgeschlossen, das Rad hatte sich dann einmal ganz gedreht, und wieder würde der unvergeßliche Vampir über die Erde schreiten – diesmal, um sie zu erobern!

So hatte es das alte Ding unter der Erde geplant, und so würde es geschehen. Er würde sich von hier erheben und wieder in die Welt hinausschreiten. Die Welt würde ihm gehören! Aber nicht dann, wenn er jetzt und hier diese Frau tötete. Nein, das wäre völliger Wahnsinn, wäre sein Ende und der Tod all seiner Träume.

Der Vampir in ihm beugte sich dem gesunden Menschenverstand und gestattete dem wohl verdrehten, aber menschlichen Geist Thibors, die Führung zu übernehmen. Der Blutrausch verflog, wurde durch Neugier ersetzt, die wiederum schlafende, viele Generationen lang unterdrückte Triebe weckte. Neue Gefühle, vollständig menschlich, erwachten in dem alten Ding unter der Erde. Jetzt war er weder männlich, noch weiblich, denn er gehörte zu den Wamphyri, doch einst war Thibor ein Mann gewesen. Ein Mann voller Leidenschaft.

Er hatte im Laufe der fünfhundert Jahre, in denen er die Wallachei, Bulgarien, Moldawien, Rußland und das Land der Ottomanen heimgesucht hatte, Frauen kennengelernt, viele Frauen. Manche hatten sich ihm freiwillig hingegeben, die meisten aber nicht. Es gab keine Art, eine Frau zu nehmen, die ihm fremd war, keine Wonne und keinen Schmerz, den eine Frau zu bieten hatte, der ihm nicht geboten worden wäre, oder mit Gewalt entrissen, unzählige Male.

Mitte des fünfzehnten Jahrhunderts hatte er als Söldner-Woiwode des Wlad Tepes, des sogenannten ›Pfählers‹, die Donau mit seinem Heer überquert und einen Abgesandten des Sultans Murad gefangengenommen. Dieser Vertreter des Sultans, seine Eskorte von zweihundert Soldaten und sein Harem mit zwölf ausgewählten Schönheiten wurden nachts in der Stadt Isperih angetroffen. Thibor hatte sich den bulgarischen Einwohnern gegenüber großzügig gezeigt: Er gestattete ihnen zu fliehen, während seine Truppen die Stadt plünderten und verbrannten. Die zu Langsamen unter den Flüchtlingen allerdings wurden ausgeraubt und vergewaltigt.

Was den Abgesandten des Sultans betraf, so hatte Thibor ihn pfählen lassen. Er und seine zweihundert Soldaten wurden auf hohe, dünne Pfähle gespießt.

»Auf ihre typische Art, durch den Hintern«, hatte er hämisch seinem Henkern befohlen. »Auf die türkische Art. Sie belästigen gern kleine

Jungen, diese Kerle, also laßt sie glückselig sterben, genauso wie sie gelebt haben!«

Doch die Frauen aus dem Harem: Er nahm sie alle in jener einen Nacht, ging schonungslos von einer zur anderen, und machte den gesamten folgenden Tag über weiter. Ah! In jenen Tagen war er ein rechter Satyr gewesen!

Und jetzt ... jetzt war er bloß ein altes Ding unter der Erde. Im Augenblick jedenfalls. Noch ein paar Jahre lang. Doch er konnte ja immer noch träumen, oder? Er konnte sich an das erinnern, was einst war. Vielleicht konnte er sogar mehr tun, als sich lediglich zu erinnern ...

Seine pilzförmige Sonde machte eine weitere Verwandlung durch. Kiefer, Zähne und Zunge der Schlange verschmolzen wieder mit dem Tentakel, dessen Spitze sich verflachte, erweiterte und zu einer Art von stumpfem Spaten wurde. Dieses Paddel teilte sich sodann in fünf graugrüne, kurze Würmer – ein rudimentärer Daumen und vier Finger – und am Mittelfinger wuchs erneut ein kleines Auge, das in feuchter Faszination das Heben und Senken der Brust der bewußtlosen Frau beobachtete. Thibor bewegte seine »Hand«, ließ sie empfänglich für alle Sinneseindrücke werden, und er verdickte und verlängerte auch den Stiel, der ihr als »Arm« diente.

Mit dem winzigen, feucht glitzernden Auge als Führer, glitt die zitternde protoplasmische Hand unter die Jacke der Frau und fand unter Schichten von Kleidung ihre Haut. Sie war noch warm, aber die empfindsame Hand fühlte, wie die Wärme allmählich ihrem Körper entwich. Ihre Brüste waren weich, mit großen Brustwarzen, üppig proportioniert. Als Thibor noch am Leben gewesen war und nicht untot, hatte er diese Art von Brüsten besonders geliebt. So streichelte seine Hand nun und wurde fester und rauher, als sie die Brüste liebkoste. Sie stöhnte ein bißchen und regte sich ein ganz klein wenig.

Unter der Hand des alten Dings schlug ihr Herz nun stärker, möglicherweise durch seine Berührung angeregt. Ein kräftiger Herzschlag, aber auch verzweifelt, panikartig. Sie wußte, daß sie auf keinen Fall hier reglos liegen sollte, und sie kämpfte gegen ihre Bewußtlosigkeit an. Doch ihr Körper reagierte nicht auf dieses Bedürfnis. Ihre Glieder kühlten aus, und wenn auch ihr Blut sich abkühlte, würde sie sterben.

Nun geriet auch die Thibor-Kreatur etwas in Panik. Sie durfte nicht hier sterben! Er malte sich wieder aus, wie Suchtrupps die Leichen des Mannes und der Frau fanden, wie sie mit zusammengekniffenen Augen zu seinem brüchigen Grabmal herüberschielten, wie sie sich gegenseitig wissende Blicke zuwarfen. Dann sah er vor sich, wie sie gruben, sah ihre spitzen Hartholzpflöcke, ihre silbernen Ketten, die schimmernden Äxte. Er sah, wie am Abhang die Flammen von den gefällten Bäumen hochschlugen, und einen schmerzerfüllten Augenblick lang spürte er, wie sein nichtmenschliches Fleisch schmolz, wie Fett und stinkender Eiter verliefen und in der fauligen Erde verkochten.

Nein, sie durfte einfach nicht an diesem Fleck sterben. Er mußte sie wieder zu Bewußtsein bringen. Doch zuerst ...

Seine Hand glitt von ihren Brüsten und begann sich lüstern über ihren Bauch zu schieben – und erstarrte!

Während all der Jahrhunderte, die Thibor hier gelegen hatte, waren seine Sinne, sein Bewußtsein, nicht abgestumpft, sondern eher noch um ein Vielfaches geschärft worden. Aller anderen Wahrnehmungen verlustig, hatte er eine Hypersensibilität entwickelt. Während vieler Frühlinge hatte er gespürt, wie sich die grünen Schößlinge aus der Erde schoben, hatte den Vögeln gelauscht, die sich in den fernen Bäumen paarten. Er hatte die Wärme aller Sommer gerochen, hatte sich weit unten verkrochen und seinen Haß auf die wenigen Sonnenstrahlen herausgespien, die ihren Weg durch das stille Geäst bis zu seinem Grabmal herunter gefunden hatten. Herbst – das Fallen der braunen, sonnenversengten Blätter auf die Erde über ihm war ihm manchmal wie Donner vorgekommen, und wenn der Regen fiel, rauschten Rinnsale wie mächtige Ströme. Und nun –

Und nun erzählte ihm der winzige, eindringliche, beinahe mechanische Schlag, den er durch seine Hand spürte, wo sie auf dem Bauch der Frau ruhte, seine eigene Geschichte, morste ihm etwas in einem Code zu, den andere Wesen kaum wahrzunehmen in der Lage waren. Er berichtete ihm von einem neuen Leben, von einem ungeborenen Wesen, das man noch nicht einmal als Fötus bezeichnen mochte.

Die Frau war schwanger!

Ahhhhh! sagte Thibor, wenn auch nur innerlich. Er versteifte seine

Pseudohand und drückte sie fester auf die Bauchhaut der Frau. Ein werdendes Kind – reinste Unschuld – ein einziger Augenblick intensivsten Glücksgefühls, der sich in einem Keim personifizierte, und der nun in ihrem dunklen, warmen Schoß heranwuchs.

Der bösartige Instinkt ergriff Besitz von ihm – zum Teil der des Vampirs, teilweise auch der des Menschen, aber auf jeden Fall böse. Nachtdunkle Logik verdrängte die Lüsternheit. Der Tentakel verlängerte sich noch weiter und die Hand verlor etwas von ihrer Substanz. Sie wurde kleiner und schmaler, während sie sich ihrem Zweck entsprechend veränderte. Es war tatsächlich ein ganz *neuer* Zweck, der den alten ersetzte. Sein Ziel war ursprünglich der geheimste Ort einer Frau gewesen, an dem sich ihre gesamte Weiblichkeit konzentrierte. Nicht, um ihr zu schaden, sondern einfach aus Neugier, um sich dieses Gefühl wieder in Erinnerung rufen zu können. Doch nun hatte er ein neues Ziel.

Drunten unter den Schichten aus zerbröckeltem, abgestorbenem Laub und harter, kalter Erde öffnete sich knackend der Mund des Vampirs zu einem blinden, obszönen Lächeln. Er mußte hier wohl für immer liegen, oder zumindest bis zu dem Zeitpunkt, da ihn Dragosani befreite, aber nun bot sich endlich eine Gelegenheit, wenigstens einen Teil von sich selbst in die Welt hinauszusenden.

Er drang vorsichtig, feingliedrig in die Frau ein, so daß sie auch im wachen Zustand gar nicht bemerkt hätte, daß er in ihrem Unterleib war, und schloß diese Hand mit ihren hauchdünnen Fingern um das neue Leben in ihrem Schoß. Seine bloße Berührung schon stellte eine Befleckung der Unschuld dieses winzigen Dings dar, das er nur einen kurzen Augenblick lang in der Hand hielt – einen kleinen, so kleinen Klumpen fast formlosen Fleisches, und er spürte den Schlag seines Fötusherzens.

Denke daran! sagte das alte Ding unter der Erde. *Wisse, was du bist und was ich bin! Und noch mehr: Wisse, wo ich bin! Und wenn du bereit bist, dann besuche mich. Vergiß mich nicht!*

Die Frau regte sich und stöhnte diesmal etwas lauter. Thibor zog sich aus ihr zurück und ließ seine Hand schwerer und fester werden. Dann schlug er sie, versetzte ihrem bleichen Gesicht eine schallende Ohrfeige. Sie schrie auf, schüttelte sich, öffnete die Augen. Doch es war zu spät, um den leprösen Auswuchs des Vampirs wahrzunehmen, der sich jetzt hastig in die Erde zurückzog.

Wieder schrie sie auf, blickte sich mit großen, verängstigten Augen um und entdeckte die zusammengebrochene Gestalt ihres Mannes. Schlagartig hellwach holte sie Luft. »Oh Gott!«

Sie benötigte nur einen weiteren Augenblick, um die furchtbare Wahrheit zu erkennen.

»Nein!« schrie sie gellend. »Mein Gott, nein!« Die Angst verlieh ihr Kraft. Sie würde nicht mehr in Ohnmacht fallen, ja, sie verachtete sich selbst, weil sie das Bewußtsein verloren hatte. Jetzt mußte sie handeln, mußte ... irgend etwas tun! Es gab jedoch nichts, was sie unternehmen konnte, nichts, was ihm geholfen hätte, obwohl ihr das im ersten Augenblick noch nicht klargeworden war.

Sie hakte ihre Arme unter seine ein und schleifte ihn mühsam ein paar taumelnde Schritte weit bergab. Dann stolperte sie über eine hervorstehende Wurzel, stürzte nach hinten, und die Leiche ihres Mannes rutschte hinter ihr her. Sie wurde durch einen Baumstamm aufgehalten, er jedoch nicht. Er polterte sich überschlagend an ihr vorbei wie ein loses Bündel von Armen und Beinen. Er glitt über einen verharschten Schneefleck und dann weiter nach unten, bis er bergab im tiefen Schatten außer Sicht geriet.

Sie hörte noch das Krachen und Bersten im Unterholz, als sie wieder auf die Beine kam und keuchend Luft holte. Es war alles nutzlos gewesen, all ihre Bemühungen umsonst.

Als sie das in der ganzen Tragweite begriff, holte sie so tief Luft, daß ihre Lunge zu bersten drohte, und während sie blindlings hinter ihm her bergab stürmte, ließ sie einen fürchterlichen, durchdringenden Schrei los, in dem sich ihre ganze seelische Qual und ihre Selbstvorwürfe vereinten.

Die kreuzförmigen Berge warfen ihren Schrei hallend zurück, bis das letzte Echo erstarb und von der Erde verschluckt wurde.

Und das alte Ding drunten lauschte und seufzte und wartete darauf, was die Zukunft bringen würde.

***

In einem Büro in London, im obersten Stockwerk eines Hotels, das etwas mehr als nur ein Hotel war, blickte Alec Kyle auf seine Uhr. Es war 16.05 Uhr, und die Geistererscheinung Keoghs war noch immer nicht fertig. Was er erzählte, war faszinierend für Kyle, wenn auch morbide, und seiner Meinung nach durchaus präzise. Wieviel mehr würde er noch erfahren? Sicherlich hatte Keogh nicht mehr viel Zeit. Während die Erscheinung also schwieg und sich das Kind, das gleichzeitig sein Wirt war, einmal sowohl um die Längs- als auch um die Querachse drehte, sagte Kyle: »Aber natürlich wissen wir, was mit Thibor geschah: Dragosani vernichtete ihn, köpfte und verbrannte ihn unter den reglosen Bäumen jener Lichtung in den kreuzförmigen Hügeln.«

Keogh hatte seinen Blick zur Uhr bemerkt. *Sie haben recht,* sagte er und sein Geist nickte. *Thibor Ferenczy ist tot. Deshalb war ich ja in der Lage, unter jenen Hügeln mit ihm zu sprechen. Ich kam auf dem Moebius-Pfad dorthin. Aber Sie haben auch recht damit, daß mir die Zeit langsam ausgeht. Also sollten wir die verbleibende Zeit ausnützen. Und ich habe Ihnen noch mehr zu sagen.*

Kyle lehnte sich zurück, erwiderte nichts und wartete ab.

Ich erwähnte bereits, daß es noch andere Vampire gibt, fuhr Keogh fort. *Zumindest ist es möglich. Und es gibt mit Sicherheit noch Geschöpfe, die ich als Halb-Vampire bezeichnen möchte. Das werde ich Ihnen später zu erklären versuchen. Auch habe ich ein Opfer erwähnt, einen Mann, der gefangengenommen, benutzt und von einem dieser Halb-Vampire getötet wurde. Er war tot, als ich mit ihm sprach. Tot und absolut verängstigt. Aber vor dem Tod hatte er keine Angst. Jetzt gehört er zu den Untoten.*

Kyle schüttelte den Kopf und bemühte sich sehr, das alles zu verdauen. »Sie erzählen am besten weiter. Einfach, wie Ihnen der Schnabel gewachsen ist. Lassen Sie die Geschichte für sich wirken. Auf diese Weise verstehe ich mehr. Sagen Sie mir zuvor nur eines: Wann haben Sie mit ... diesem toten Mann gesprochen?«

Erst vor ein paar Tagen, wie man unter den Lebenden sagen würde, antwortete Keogh ohne zu zögern. *Ich war auf dem Weg zurück aus der Vergangenheit und reiste durch den Moebius-Raum, als ich eine blaue Lebenslinie bemerkte, die durch eine rote gekreuzt und terminiert wurde. So wußte ich, daß ein Leben beendet worden war, und ich hielt an und sprach mit dem Opfer. Meine Entdeckung war natürlich kein Zufall: Ich hatte auf ein solches Ereignis gewartet. Auf gewisse Weise benötigte ich einen solchen Mord, so schrecklich sich das anhören mag. Doch so erlange ich neue Erkenntnisse. Sehen Sie, Kyle, es fällt mir heutzutage viel leichter, mit den Toten zu sprechen als mit den Lebenden. Und ich hätte ihn ohnehin nicht retten können. Aber durch ihn werde ich vielleicht in der Lage sein, andere zu retten!*

»Und Sie behaupten, er sei von einem Vampir angefallen worden, dieser Mann?« Kyle tappte wohl immer noch im Dunkeln, war aber doch ziemlich entsetzt. »Erst kürzlich? Aber wo? Und wie?«

Das ist das Schlimmste daran, Alec, sagte Keogh. *Der Vampir nahm ihn sich – hier, in England! Und was die Art und Weise betrifft, in der dies geschah – lassen Sie mich berichten ...*

VIERTES KAPITEL

Yulian war eine Spätgeburt gewesen, beinahe einen vollen Monat zu spät, obwohl seine Mutter sich unter diesen Umständen glücklich schätzte, daß er nicht als Frühgeburt zur Welt gekommen war. Oder gar *sehr* früh und als Totgeburt!

Nun saß Georgina Bodescu auf dem geräumigen Rücksitz des Mercedes' ihrer Cousine Anne – sie waren auf dem Weg zur Kirche in Harrow, wo Yulian getauft werden sollte – musterte das Baby in seiner Tragetasche und dachte an die Ereignisse zurück, die fast genau ein Jahr zurücklagen. Sie und ihr Mann hatten den Urlaub in Slatina verbracht, nur achtzig Kilometer entfernt von den wilden, unwegsamen, steil aufragenden Felstürmen der Carpatii Meridionali, die man unter den deutschstämmigen Einwohnern auch als Transsylvanische Alpen bezeichnete.

Ein Jahr ist ein langer Zeitraum, und sie war mittlerweile in der Lage, zurückzublicken, ohne noch immer das Gefühl zu haben, sie müsse ebenfalls sterben und habe kein Recht zu leben, ohne den dicken, heißen Tränen nachzugeben und jener Agonie an Selbstvorwürfen, an Schuldgefühlen.

Schuld, weil sie lebte und Ilya tot war, weil er noch am Leben sein könnte, wäre sie nicht so schwach gewesen. Schuld, weil sie beim Anblick seines Blutes in Ohnmacht gefallen war, obwohl sie wie der Wind hätte rennen müssen, um Hilfe zu holen. Und der arme Ilya hatte dagelegen, bewußtlos durch all die Schmerzen, und sein Lebensblut war in die dunkle Erde gesickert, während sie wie ... wie eine typisch englische Mimose ohnmächtig am Boden gelegen hatte.

Oh ja, jetzt war sie schon in der Lage, all das an ihrem geistigen Auge vorbeiwandern zu lassen – es mußte ja auch sein – denn es waren Ilyas letzte Tage gewesen, die sie als einen Teil seines Lebens miterlebt hatte. Sie hatte ihn sehr, sehr geliebt und wollte ihn sich wenigstens in ihrer Erinnerung erhalten. Könnte sie nur all jene schönen Dinge noch einmal Revue passieren lassen, ohne den Alptraum heraufzubeschwören, wäre sie eine glückliche Frau gewesen.

Doch das war leider unmöglich ...

Ilya Bodescu, ein Rumäne, war in London als Lehrer für slawische Sprachen tätig gewesen, als Georgina ihn kennenlernte. Als Linguist hatte er zwischen Bukarest, wo er Französisch und Englisch unterrichtete, und dem Europäischen Institut in der Regent Street gependelt, wo sie wiederum die bulgarische Sprache studiert hatte – ihr Großvater mütterlicherseits, ein Weinimporteur, stammte aus Sofia. Ilya hatte sie nur gelegentlich unterrichtet, wenn er als Aushilfe für eine vollbusige, schnurrbärtige Matrone aus Pleven einsprang, und bei diesen wenigen Gelegenheiten hatten sein trockener Witz und seine dunklen, funkelnden Augen die Stunden harter Lernarbeit in nur zu kurze Perioden reinsten Vergnügens verwandelt. Liebe auf den ersten Blick? Zwölf Jahre später ließ sich das nicht mehr so genau sagen. Doch es war auf jeden Fall sehr schnell gegangen. Sie hatten innerhalb eines Jahres geheiratet. So lange arbeitete Ilya für gewöhnlich am Institut. Als sein Jahr in London vorüber war, war sie mit ihm zusammen nach Bukarest gezogen. Das war im November 1947 gewesen.

Es war allerdings nicht alles so glatt verlaufen. Georgina Drews Eltern waren recht wohlhabende Leute gewesen. Ihr Vater stand im diplomatischen Dienst und hatte im Zuge seiner Arbeit mehrere hochdotierte

Positionen im Ausland erhalten, und auch ihre Mutter stammte aus wohlhabendem Hause.

Während des Ersten Weltkriegs hatte die Ex-Debutantin, die zu der Zeit als Krankenschwester ehrenhalber Dienst tat, in einem Militärhospital in Frankreich John Drew kennengelernt. Sie hatte den schwer am Bein verwundeten Mann gesundgepflegt. Durch seine Verwundung mußte er auch nicht an den weiteren Kämpfen teilnehmen und kehrte mit ihr nach Hause zurück. Sie heirateten im Sommer 1917.

Als Georgina Ilya ihren Eltern vorgestellt hatte, fiel sein Empfang zweifellos etwas kühl aus. Jahrelang hatte ihr Vater, ein Brite vom Scheitel bis zur Sohle, damit zu kämpfen gehabt, daß seine Frau bulgarischer Abstammung war, und nun brachte seine Tochter ihm einen verdammten Zigeuner nach Hause! Natürlich hatte er ihm das nicht ins Gesicht gesagt, doch Georgina hatte sehr wohl gewußt, was ihr Vater von Ilya hielt.

Ihre Mutter hatte kein großes Problem dargestellt, wenn sie auch gelegentlich Sprüche abließ wie: »Papa hat den Wallachen jenseits der Grenze drüben nie getraut!« Dieses offensichtliche Mißtrauen hatte ihrer Erinnerung nach dazu geführt, daß ihr Vater nach England ausgewandert war.

Kurz gesagt, man hatte Ilya nicht gerade mit offenen Armen empfangen.

Traurigerweise hatten beide Eltern innerhalb von acht Jahren – die Georgina und Ilya abwechselnd in Bukarest und London verbrachten – das Zeitliche gesegnet. Zu der Zeit waren alle alten Streitigkeiten längst vergeben und vergessen, und sie hatten Georgina einiges an Vermögen hinterlassen, was auch recht wichtig war. In jenen frühen Jahren verdiente Ilya durch seine Lehrtätigkeit nicht genug, um ihren gewohnten Lebensstil zu finanzieren.

Doch dann hatte man Ilya einen gut bezahlten Posten als Übersetzer und Dolmetscher beim Außenministerium in London angeboten. Georginas Vater war zu seinen Lebzeiten vielleicht nicht gerade ein einfacher Mensch gewesen, aber sein Erbe beinhaltete auch eine ausgezeichnete Einführung in diplomatische Kreise. Es gab allerdings eine Bedingung: Um den Posten zu erhalten, mußte Ilya zuerst britischer

Staatsbürger werden. Das war kein Problem, denn sollte sich die richtige Gelegenheit ergeben, hatte er das ohnehin vorgehabt, aber er mußte noch ein Vertragsjahr beim Institut ableisten, und danach ein weiteres Jahr in Bukarest, bevor er den Posten annehmen konnte.

Dieses letzte Jahr in Rumänien wurde ein trauriges, gerade weil es das letzte war. Aber gegen Ende seiner Verpflichtungen dort war Ilya doch froh gewesen. Der Krieg hatte zehn Jahre zurückgelegen, und die Luft in den sich wieder belebenden Städten – der Smog Londons und der ständige Nebel in Bukarest – hatte seiner Gesundheit nicht gut getan. Auch der saure Geruch zerbröckelnder alter Bücher in Bibliotheken und Kursräumen war seiner Atmung nicht gerade zuträglich. Seine Gesundheit hatte auf jeden Fall ein wenig gelitten.

Sie hätten sofort nach Beendigung seiner Tätigkeit nach England zurückkehren können, doch ein Arzt in Bukarest hatte ihm davon abgeraten. »Bleiben Sie noch den Winter über«, hatte er empfohlen, »aber nicht in der Großstadt. Gehen Sie hinaus aufs Land! Lange Spaziergänge in der sauberen, frischen Luft – das ist es, was Sie benötigen! Abende am offenen Kamin, und einfach das Leben genießen. Sie wissen, daß draußen Schnee liegt und Sie es drinnen wunderbar warm haben. Darin liegt eine Menge Befriedigendes. Sie gewinnen an Lebensfreude.«

Es schien ein guter Rat zu sein.

Ilya sollte seine Tätigkeit im Außenministerium erst Ende Mai aufnehmen. So verbrachten sie Weihnachten mit Freunden zusammen in Bukarest, und dann, das neue Jahr hatte kaum begonnen, nahmen sie den Zug nach Slatina unter den Alpen. Tatsächlich stand die Stadt am Abhang der Vorberge, doch die Einwohner sagten für gewöhnlich, sie lebten »unter den Alpen«. Dort mieteten sie so etwas wie eine alte Scheune, ein Stück entfernt von der Straße nach Pitesti, und richteten sich rechtzeitig ein, bevor die ersten schwereren Schneefälle des jungen Jahres einsetzten.

Ende Januar waren die Schneepflüge am Werk und befreiten die Straßen vom Schnee. Ihre blauen Auspuffgase hingen beißend in der scharfen, eiskalten Luft, und die Menschen liefen bis an die Ohren vermummt herum. Sie wirkten eher wie wandelnde Kleiderbündel.

Ilya und Georgina rösteten Kastanien über einem prasselnden Kaminfeuer und schmiedeten Pläne für die Zukunft. Bislang hatten sie noch keine Kinder haben wollen, denn ihr Leben war einfach zu unruhig verlaufen. Doch nun ... nun war der richtige Zeitpunkt gekommen.

Sie hatten es tatsächlich bereits zwei Monate zuvor probiert, aber Georgina war sich noch nicht sicher. Allerdings hegte sie den Verdacht ...

Am Tag hielten sie sich in der Stadt auf, soweit es der Schnee gestattete, und nachts waren sie hier in ihrer ›Bruchbude‹, lasen oder liebten sich ganz entspannt auf dem Boden vor dem Kamin. Meist bevorzugten sie das Letztere.

Innerhalb eines Monats, nachdem sie Bukarest verlassen hatten, ließ Ilyas Reizhusten stark nach und seine frühere Kraft kehrte zurück. In typisch rumänischem Eifer genoß er es, diese Kraft an Georgina auszulassen. Der Aufenthalt hatte sich zu zweiten Flitterwochen entwickelt.

Mitte Februar war das Unmögliche Wirklichkeit geworden: drei aufeinanderfolgende Tage mit klarem Himmel und strahlendem Sonnenschein. Und fast der gesamte Schnee schmolz. Am Morgen des vierten Tags sah es überall wie im Vorfrühling aus.

»Noch zwei oder drei Tage schönes Wetter«, raunten die Ortsansässigen weise, »und dann werdet Ihr hier Schnee erleben, wie Ihr ihn noch nie gesehen habt! Also genießt das Wetter, solange es hält!« Ilya und Georgina hatten beschlossen, genau das zu beherzigen.

Im Laufe der Jahre war Georgina unter Ilyas Anleitung zu einer recht guten Skifahrerin geworden. Es mochte lange dauern, bis sie wieder eine Gelegenheit zum Skifahren hatten. Hier unten in der sogenannten Steppe waren vom Schnee nur große, graue Haufen neben den Straßen verblieben, doch ein paar Kilometer weiter, am Abhang der Alpen, lag noch reichlich davon.

Ilya mietete ein Auto für ein paar Tage – einen verbeulten alten Käfer – und zwei Paar Ski, und gegen 13.30 Uhr an jenem schicksalsträchtigen vierten Tag waren sie in die Berge gefahren. Zum Mittagessen hielten sie an einem winzigen Gasthaus am Nordende von Ionesti an, bestellten Gulasch, das sie mit starkem Kaffee hinunterspülten, und beendeten die Mahlzeit mit einem Glas Slibowitz für jeden, um sich ›den Mund auszuspülen‹.

Danach fuhren sie weiter hinauf in eine Gegend, wo der Schnee noch wirklich dick auf Feldern und Hecken lag. Und von dort aus erspähte Ilya die Buckel mehrerer niedriger, grauer Hügel, die etwa eine Meile von ihnen entfernt im Westen lagen, und er bog auf einen Feldweg ab, um näher dorthin zu kommen.

Schließlich wies der Feldweg unter dem angewehten Schnee tiefe Furchen auf. Der Schnee lag hier ohnehin höher, und so hatte Ilya schließlich grollend aufgegeben. Er wollte nicht steckenbleiben, und so ließ er den Motor kräftig aufheulen, wendete holpernd im Rückwärtsgang und stellte den Käfer so ab, daß sie leicht genug wieder herauskommen würden, wenn sie genug vom Skifahren hatten.

»Querfeldein!« hatte er auf Deutsch gerufen, als er die Skier vom Gepäckständer holte.

Georgina hatte übertrieben gestöhnt: »Was, über die Felder? Bis hinüber zu diesen Kuppen?«

»Sie sind weiß!«, hatte er zurückgegeben. »Was dort glitzert, ist reiner Pulverschnee auf einer festen Harschunterlage. Perfekt! Etwa eine halbe Meile dort hinüber, dann ein gemütlicher Aufstieg zur Kuppe und ein beherrschter, entspannter Slalom zwischen den Bäumen und hierher zurück, sobald die Dämmerung anbricht.«

»Aber es ist schon nach drei!« hatte sie protestiert.

»Dann sollten wir uns bewegen! Komm schon, es tut uns gut ...«

»Es tut uns gut«, wiederholte Georgina nun traurig. Auch jetzt noch, ein Jahr später, hatte sie sein Bild ganz klar und deutlich vor Augen, wie er hochgewachsen und auf seine dunkle Art so blendend aussehend die Skier vom Dach des Käfers genommen und in den Schnee geworfen hatte.

»Was ist los?« Anne Drew, ihre jüngere Cousine, blickte sich nach ihr um. »Hast du etwas gesagt?«

»Nein.« Georgina lächelte wehmütig und schüttelte den Kopf. Sie war froh darüber, daß sie in ihren Erinnerungen unterbrochen worden war, gleichzeitig tat es ihr jedoch auch leid. Ilyas Gesicht verschwamm vor ihren Augen und wurde durch das ihrer Cousine ersetzt. »Ich habe nur Luftschlösser gebaut, sonst nichts.«

Anne runzelte die Stirn und wandte sich wieder dem Verkehr zu.

Luftschlösser ... Ja, und davon hatte Georgina während der letzten zwölf Monate eine Menge gebaut. Es schien noch etwas in ihr zu stecken, etwas anderes als nur der kleine Yulian, das nicht mit dem Baby aus ihr herausgekommen war. Trauer, ja, selbstverständlich, aber mehr als das. Es schien, als habe sie diese zwölf Monate lang immer am Rand eines absoluten Nervenzusammenbruchs gestanden, und nur die Tatsache, daß Ilya in Yulian weiterlebte, hatte sie davor bewahrt.

Und was die Luftschlösser betraf: Manchmal schien sie ganz weit weg zu sein, so von der Wirklichkeit losgelöst, daß es schwierig war, sie wieder zurückzuholen. Doch jetzt, mit dem Baby ... jetzt konnte sie sich an etwas klammern, hatte einen Anker, etwas, wofür sie leben konnte.

Es tut uns gut, sagte Georgina noch einmal mit viel Bitterkeit, aber nur in Gedanken.

Er hatte ihnen nicht gut getan, dieser fatale letzte Skiausflug in die kreuzförmigen Hügel. Alles andere als das. Es war schrecklich geworden, eine Tragödie. Ein Alptraum, den sie im vergangenen Jahr tausend Mal durchlebt hatte, und sie war sicher, noch zehntausend Mal durchleben würde. Von der Wärme im Auto und dem gleichmäßigen Schnurren des Motors eingeschläfert, glitt sie wieder in ihre Erinnerungen ...

Sie hatten eine alte Brandschneise an einer Seite des Hügels vorgefunden, und durch diese stiegen sie zum Gipfel auf. Gelegentlich blieben sie stehen und schützten beim Ausschauen ihre Augen vor dem grellen Sonnenschein. Ihr Atem bildete lustige kleine Wölkchen. Als sie schließlich schwer atmend auf dem Kamm des Hügels angelangt waren, stand die Sonne niedrig über dem Horizont und es wurde bereits dämmrig.

»Von nun an geht's nur noch bergab«, hatte Ilya erklärt. »Ein rascher Slalom durch die Schößlinge, die in der Brandschneise nachgewachsen sind, und dann brauchen wir nur noch gemütlich bis zum Auto hinunterrutschen. Fertig? Dann geht's los!«

Und danach war es zur Katastrophe gekommen!

Die von ihm erwähnten Schößlinge waren tatsächlich bereits richtige kleine Bäume gewesen. Der in der Schneise angewehte Schnee lag viel höher als Ilya angenommen hatte, und deshalb hatten auch nur die Spitzen der jungen Bäume über die pulvrige weiße Oberfläche hinausgeragt. Auf halbem Weg nach unten kam er zu nahe an einen dieser

Bäume heran. Sein rechter Ski hatte sich in einem unter der Oberfläche liegenden Ast verfangen, von dem er nur ein wenig dunkles Grün im Schnee gesehen hatte. Er war zum Sturz gekommen, hatte sich überschlagen, war nochmals fünfundzwanzig Meter weitergeschlittert – ein wirbelndes Bündel von weißem Anorak, Stöcken und Skiern, mit wild rudernden Armen und Beinen – bevor er einen weiteren ›Schößling‹ zu packen bekommen hatte und sein Sturzflug beendet war.

Georgina hatte sich ein ganzes Stück hinter ihm gehalten, da sie doch ein wenig vorsichtiger fuhr, und alles mit angesehen. Vor Schreck schrie sie auf, und dann kam sie nach einem kraftvollen Schneepflug neben ihm zum Stehen. Sie hatte sofort die Bindungen geöffnet, ihre Ski in den Schnee gesteckt, damit sie nicht wegrutschten, und sich neben ihm niedergekniet. Ilya hielt sich die Seiten vor Schmerzen, als er schallend über sich selbst lachte und gar nicht aufhören konnte. Tränen rollten ihm vor Lachen über die Wangen und froren dort an.

»Clown!« Sie hatte ihm mit der flachen Hand auf die Brust geklopft. »Oh, du *Clown*! Du hast mir einen fürchterlichen Schreck eingejagt!« Er hatte noch lauter gelacht, sie an den Unterarmen gepackt und festgehalten. Doch dann war sein Blick auf seine Ski gefallen, und er hatte aufgehört zu lachen. Der rechte war über die ganze Breite gebrochen und hing nur noch an einem Splitter fest, eine knappe Handbreit vor der Bindung.

»Ah«, hatte er ausgerufen und die Stirn gerunzelt. Dann hatte er sich im Schnee aufgesetzt und sich umgeblickt. In dem Augenblick war Georgina klar geworden, daß es ernst war. Sie hatte es seinen Augen angesehen, die sich bedenklich zusammenzogen.

»Du gehst jetzt zum Auto zurück«, hatte er ihr befohlen. »Aber vorsichtig, ja? Mach's nicht so wie ich – Schrott aus den Skiern machen bringt nur Probleme. Laß den Motor an und schalte die Heizung ein. Es ist nicht viel weiter als eine Meile, so daß dieser alte Käfer schön warm sein wird, bis ich hinterherkomme. Hat keinen Zweck, wenn wir beide erfrieren.«

»Nein!« hatte sie sich strikt geweigert. »Wir gehen zusammen zurück. Ich ...«

»Georgina!« Er sprach nun ganz ruhig mit ihr, ein deutliches Zeichen, daß er wütend wurde. »Schau mal, wenn wir zusammen zurückgehen, heißt das, wir werden *beide* naß, müde und halb erfroren ankommen. Ich halte das schon aus, und ich habe es auch verdient, aber du nicht! Auf meine Weise wirst du es warm haben, und ich bin auch viel früher im Warmen! Dazu wird es auch noch bald dunkel. Geh jetzt, während der Dämmerung, zum Wagen, und du kannst die Scheinwerfer einschalten und auch noch ein paar Mal hupen, damit ich den Weg leichter finde. Außerdem weiß ich dann, daß es dir gut geht, und das treibt mich an. Alles klar?«

Es war ihr durchaus klar gewesen, doch das änderte nichts an ihrem Entschluß. »Wenn wir zusammenbleiben, sind wir wenigstens füreinander da! Was ist, wenn ich stürze und irgendwo feststecke? Dann kämst du zum Auto zurück und würdest mich nicht vorfinden! Und was dann? Ilya, ich habe Angst, ganz allein. Angst um mich und um dich!«

Eine Sekunde lang hatte er die Augen noch mehr zusammengezogen. Doch dann hatte er genickt. »Du hast natürlich recht.« Und wieder hatte er sich umgeblickt. Dann löste er seine Bindungen und sagte: »Also gut, wir machen es folgendermaßen. Schau dort hinunter!«

Die Brandschneise hatte sich noch etwa eine halbe Meile weiter hingezogen, und zwar steil bergab. Zu beiden Seiten standen hohe Bäume, viele davon bemoost und uralt, dicht an dicht. Unter ihnen lagen nur noch einzelne Schneewehen, denn die Bäume standen so nah beieinander, daß ihre ineinander verwobenen Äste ein dichtes Dach bildeten, das den Boden wie ein Mantel überdeckte. Diese Bäume waren sicherlich mehr als fünfhundert Jahre lang nicht mehr geschlagen worden.

»Das Auto ist dort drüben«, sagte Ilya und deutete nach Osten, »um die Krümmung des Hügels herum und dann hinter den Bäumen. Wir gehen durch den Wald geradeaus bergab, und dann folgen wir unseren eigenen Spuren von vorhin bis zum Auto. Wenn wir den Weg auf diese Weise abschneiden, sparen wir uns vielleicht eine halbe Meile, und es wird im Wald viel bequemer, als durch den Tiefschnee zu laufen. Für mich jedenfalls. Sobald wir wieder die Spur von vorhin erreicht haben, kannst du die Ski benutzen. Der Abhang ist nur sehr sanft geneigt, und sobald wir das Auto sehen, fährst du voran und läßt den Motor an. Aber jetzt müssen wir aufbrechen. Es wird ziemlich düster unter den

Bäumen, und in einer halben Stunde geht die Sonne unter. Dann sollten wir den Wald verlassen haben.«

Er hatte sich Georginas Ski über die Schulter gelegt und sie hatten die Brandschneise verlassen und gegen die Geborgenheit und Stille des Waldes eingetauscht.

Zuerst waren sie gut vorangekommen, so daß sie sich schon beinahe keine Sorgen mehr gemacht hatte. Aber es lag etwas Bedrückendes über dem bewaldeten Hang: eine etwas zu intensive Ruhe, ein Gefühl, daß hier Zeitalter wie das Ticken einer großen Uhr vorüberzogen, und sie fühlte sich die ganze Zeit über beobachtet, als warte da etwas ... Sie wollte so schnell wie möglich aus dem Wald heraus wieder ins Freie gelangen. Sie war sicher, daß auch Ilya das Gleiche spürte, den eigenartigen *Geist*, der hier alles beherrschte, denn er sagte nicht viel und sogar sein Atmen klang gedämpft, als sie schräg durch den Wald nach unten stiegen, von einem Stamm zum nächsten schwarzen Stamm, wobei sie die steilsten Stellen so gut wie möglich mieden.

Dann hatten sie einen Fleck erreicht, wo Felsen schief aus dem kompostbedeckten Erdboden ragten. Dahinter lag eine fast senkrecht abfallende, brüchige Felsmauer, unter der sich eine ebene Fläche anschloß. Während er ihr herunterhalf, hatten sie unter den dunklen, stillen Bäumen menschliche Artefakte entdeckt.

Dann standen sie auf mit Flechten bewachsenen Steinplatten vor einem ... einem Mausoleum? So hatte die zum Teil eingefallene Ruine jedenfalls gewirkt. Aber hier draußen?

Georgina hatte ängstlich nach Ilyas Arm gefaßt. Dies konnte man schwerlich als Ort religiöser Anbetung oder als heiligen Boden betrachten, und wenn man die Phantasie noch so sehr strapazierte. Hier schienen sich ungesehene, unsichtbare Geister zu rühren, obwohl sich die muffige Luft nicht bewegte, genausowenig wie die Girlanden aus Spinnweben und abgestorbenem Reisig, die von den Bäumen herabhingen. Es war ein kalter Ort, doch nicht wegen der belebenden, normalen Winterkälte. Die Sonne schien hier seit – seit wie vielen Jahrhunderten? – kaum noch durchgekommen zu sein. Aus dem an diesem Abhang vorgefundenen Naturstein gebaut, war die Grabkammer längst eingefallen. Die meisten der massiven Deckplatten lagen auf einem wirren

Haufen aus abgebrochenen Bohlen, die Bodenfliesen waren gesprungen und durch den geduldig-langsamen Druck von Wurzeln standen viele schief. Ein geborstener steinerner Deckenträger, der nun an der überwucherten Ruine einer Seitenwand lehnte, hatte einst quer über der breiten Eingangstür gelegen. Darauf war noch ganz schwach ein Wappen zu erkennen, in der Düsternis allerdings kaum auszumachen.

Ilya, der immer von Antiquitäten jeder Art fasziniert gewesen war, hatte sich neben die große, schiefe Platte gekniet und Schmutz aus den Rillen der Inschrift gekratzt. »Ja, schau mal einer an!« Seine Stimme hatte gedämpft geklungen. »Und was soll man denn davon halten?«

Georgina hatte geschaudert. »Ich will überhaupt nichts davon halten! Dies ist ein furchtbarer Ort. Komm, laß uns weitergehen!«

»Aber schau doch – das ist eindeutig ein Wappen. Zumindest glaube ich das. Das am Grund dort ist ... ein Drache? Ja, und er hat eine Tatze erhoben, siehst du? Und das darüber – ich kann es nicht richtig erkennen.«

»Weil die Sonne schon untergeht!« hatte sie gerufen. »Es wird jeden Moment dunkler.« Doch sie hatte ihm trotzdem über die Schulter geblickt. Der Drache war recht deutlich herausgearbeitet. Ein stolzes Geschöpf war da aus dem Stein gehauen worden.

»Und das darüber ist eine Fledermaus!« hatte Georgina sofort bemerkt. »Eine Fledermaus, die über dem Drachen fliegt.«

Ilya hatte hastig weiteren Dreck und Flechten aus den alten Rillen gekratzt, und so war ein drittes Symbol ans Licht gekommen.

Doch plötzlich war der schwere Deckenträger, der so fest im Boden verankert schien, ins Rutschen gekommen, weil die verfallene Wand nachgab.

Ilya stieß Georgina weg, doch er selbst verlor das Gleichgewicht. Er versuchte wohl, zurückzuspringen, doch dabei streckte er unwillkürlich ein Bein geradewegs nach vorn, so daß es direkt unter den kippenden Steinträger geriet.

Der Träger fiel, und Ilyas Schmerzensschrei vermischte sich mit dem nervenzerreißenden Knirschen, als sein Bein brach, und mit Georginas gleichzeitigem Aufschrei, als der absplitternde Knochen Fleisch, Haut und Adern aufriß.

Dann hatte er – zum Glück – das Bewußtsein verloren. Sie war vorgesprungen, um ihn von dem Steinträger zu befreien, und hatte gesehen, daß wohl sein Bein gebrochen, aber nicht eingeklemmt war. Der untere Teil seines Beines kippte vollständig kraftlos zur Seite, als sie es berührte, doch es erschien ihr wie ein Wunder, daß es nicht unter dem schweren Stein begraben worden war. Dann hatte Georgina den Bruch gesehen und danach gefühlt, und sie bemerkte den gesplitterten Knochen, der aus Fleisch und Hose hervorragte, und sie spürte, wie ein Blutschwall über ihre Hände und ihre Jacke schoß.

Und das war bis zu dem Augenblick, als sie erwachte, das Letzte gewesen, was Georgina sah, fühlte oder hörte. Oder genauer, sie hatte wohl etwas gesehen, es jedoch vergessen, sobald sie auf dem Boden aufschlug. Was sie gesehen hatte, blieb vergessen, oder besser gesagt, verdrängt: Es war das dritte Symbol, über Drachen und Fledermaus in den Stein gehauen, das sie höhnisch anzugrinsen schien, während sie in der Schwärze versank.

***

»Georgy? Wir sind da!« Annes Stimme zerriß ihre gefährlichen Erinnerungen.

Georgina, die mit fast geschlossenen Augen in ihrem mit einem Mal totenblassen Gesicht auf dem Rücksitz gesessen hatte, schreckte hoch und setzte sich gerade auf. Sie war ganz nahe daran gewesen, sich an etwas zu erinnern, was den Ort betraf, an dem Ilya gestorben war, etwas, woran sie sich nicht erinnern wollte. Nun holte sie dankbar Luft und zwang sich zu einem Lächeln. »Schon angekommen?« brachte sie mühsam heraus. »Ich war wohl ... ziemlich weit weg!«

Anne kurvte auf den Parkplatz hinter der Kirche und bremste sanft. Dann drehte sie sich um und sah ihre Cousine an. »Geht es dir *wirklich* gut?«

Georgina nickte. »Ja, alles in Ordnung. Vielleicht bin ich ein bißchen müde, das ist alles. Komm, hilf mir mit der Tragetasche!«

Die Kirche war ein alter Steinbau mit bunten Fenstern und gotischen Bögen. Auf einer Seite befand sich der Kirchhof, wo die mit graugrünen Flechten überwachsenen Grabsteine teilweise schon schief in der Erde steckten. Georgina konnte diese Flechten nicht mehr ertragen, besonders, wenn sie alte Inschriften verbargen, die man in eine schiefe Steinplatte gemeißelt hatte. Sie blickte zur Seite, während sie am Kirchhof vorbei eilten und um die vorspringende Ecke der Kirche herum zum Haupteingang kamen. Anne, die den Tragekorb am anderen Henkel hielt, wurde einfach mitgezogen und mußte im Laufschritt nebenher hasten.

»Meine Güte!« protestierte sie. »Man könnte meinen, wir seien zu spät dran!« Aber sie kamen tatsächlich beinahe zu spät.

Auf den breiten Stufen vor dem Eingang stand bereits Annes Verlobter George Lake. Sie lebten schon drei Jahre zusammen und hatten gerade beschlossen, zu heiraten. Sie sollten Yulians Taufpaten werden. Heute Morgen hatten bereits mehrere Taufen stattgefunden. Die letzte Gruppe strahlender Eltern, Paten und Verwandten kam nun aus der Kirche. Die Mutter hielt mit leuchtenden Augen ihr Kind in seinem Taufjäckchen auf dem Arm. George drückte sich an ihr vorbei, sprang die Stufen herab, nahm den beiden Frauen die Tragetasche ab und sagte: »Ich habe den ganzen Gottesdienst über da drin gesessen – vier Taufen, dieses andauernde Gemurmel, Genuschel, Plätschern – und dann noch das Babygeschrei! Aber ich hielt es für recht und billig, daß wenigstens einer von uns von Beginn an dabei ist. Und dieser alte Vikar – Gott, ist das ein langweiliger alter Furz! Herr, vergib mir!«

George und Anne hätten gut Geschwister sein können, vielleicht sogar Zwillinge. *Daß sich Gegensätze anziehen, muß ja nicht immer stimmen,* dachte Georgina. Sie waren beide knapp unter 1.80 m groß, ein wenig mollig – nun ja, man konnte sie auch schon fett nennen – blond, graue Augen, und sanfte, liebe Menschen. Ihre Geburtstage lagen nur ein paar Wochen auseinander: George war Schütze und Anne Steinbock. Er trat gelegentlich ins Fettnäpfchen, und Anne war stabil genug, um ihn dann wieder aus Schwierigkeiten herauszupauken. Jedenfalls legte Anne ihre Beziehung auf diese Weise aus; sie hatte ihr Leben lang viel auf Astrologie gegeben.

Anne nahm nun den anderen Henkel der Tragetasche, damit Georgina die Hände frei hatte, um ihre Frisur in Ordnung zu bringen. Die beiden eichenen Torflügel unter dem gotischen Spitzbogen der Türe standen nach außen hin halb offen. Mit einem Mal erhob sich ein Wind – aus keiner erkennbaren Richtung – und fegte die Konfettis vom gestrigen Tag in wilden Wirbeln hoch und schlug ihnen die Tür mit einem Knall vor der Nase zu. Vorher hatte hier und da noch ein Sonnenstrahl den Weg durch die schnell dahintreibenden grauen Wolken gefunden, doch nun türmten sich die Wolken bedrohlich auf. Die Sonne wurde wie eine Lampe ausgeschaltet und es wurde merklich dunkler.

»Nicht kalt genug für Schnee«, sagte George nach einem prüfenden Blick zum Himmel. »Ich schätze, es wird bald gießen!«

»Aus Eimern oder aus Kübeln?« Anne war immer noch etwas schwach auf den Beinen, nachdem die schwere Kirchentür so knapp vor ihrer Nase zugeknallt war, grinste aber schon wieder.

»Fuck off!« grinste George sehr unheilig zurück. »Geh'n wir rein.«

Einen Augenblick später wurde die Tür von innen her durch den Vikar aufgedrückt. Er war ein hagerer, älterer Mann mit einer beginnenden Glatze. Sein Vorzug war seine Körpergröße, denn er konnte auf alle herabsehen. Seine kleinen Augen erschienen durch die starken Brillengläser viel größer, und eine mächtige Hakennase ließ den Kopf – so hoch droben – wie einen Wetterhahn wirken. Da er so mager war, hätte man ihn auch für eine Gottesanbeterin halten können, doch er hatte auch etwas ausgesprochen Eulenhaftes an sich.

Mann, ein richtiger Gottesanbeter, dachte George respektlos und grinste in sich hinein.

Aber gleichzeitig bemerkte George sehr wohl, wie warm und beruhigend der Händedruck des alten Vikars wirkte, obwohl dessen Hand ein wenig zitterte, und sein Lächeln war wie ein Strahl reiner Güte. Außerdem besaß er durchaus seine eigene Art von trockenem Humor.

»Bin froh, daß Sie es doch noch geschafft haben!« Er lächelte und nickte in Richtung Yulians in seiner Tragetasche. Das Baby war wach. Seine runden Augen waren ständig in Bewegung.

Der Vikar faßte ihm zärtlich unter das fette kleine Kinn und sagte: »Junger Mann, laß dir sagen, daß es immer gut ist, zur eigenen Taufe zu früh zu kommen, zur Hochzeit pünktlich und zur eigenen Beerdigung so spät wie möglich!« Dann sah er sich mit gerunzelter Stirn nach der Tür um.

Der plötzlich aufgekommene Wind hatte sich wieder gelegt und die Konfettis gleich mitgenommen.

»Was ist hier eigentlich passiert?« fragte der alte Mann mit hochgezogenen Augenbrauen. »Das ist eigenartig. Ich hatte gedacht, ich hätte den Bolzen ganz heruntergedrückt und die Tür gesichert. Auf jeden Fall muß es ein beachtlich starker Windstoß gewesen sein, der eine so schwere Tür wie diese zuschlägt. Vielleicht kommt ja auch ein Gewitter auf.« Ganz unten an der Tür saß ein Bolzen, der nun durch die mit der Zeit entstandene Furche in den Bodenplatten kreischte, als der Vikar der Tür einen letzten Stoß nach außen versetzte. »Na also.« Er wischte sich die Hände ab und nickte zufrieden.

Doch kein solch langweiliger alter Furz!

Alle drei hatten den gleichen Gedanken im Kopf, als er sie hereinwinkte und zum Taufbecken führte.

Der alte Pfarrer kannte Georgina schon sehr lange; er hatte sie getauft, später vermählt und war sich darüber im Klaren, daß sie nunmehr Witwe war. Diese Kirche hatten ihre Eltern in den späteren Jahren ihrer Ehe besucht, und vorher bereits – als Kind und als junger Mann – ihr Vater. Eine lange Einleitung war überflüssig, und so begann er umgehend.

Als George und Anne die Tragetasche absetzten und Georgina Yulian auf die Arme nahm, fing er in rituellem Tonfall an: »Ist dieses Kind bereits getauft worden oder nicht?«

»Nein.« Georgina schüttelte den Kopf.

»Liebe Gemeinde«, kam der Vikar nun richtig ins Rollen, »da nun alle Menschen in Sünde gezeugt und geboren werden ...«

Sünde, dachte Georgina, als sie die Worte des alten Mannes über sich ergehen ließ. *Yulian wurde nicht in Sünde gezeugt!* Gegen diesen Teil des Taufgottesdienstes hatte sie sich immer gewehrt. *Sünde, pah! Gezeugt in Freude und Liebe und süßester, süßer Wonne, ja – außer man will Wonne als Sünde auslegen ...*

Sie blickte auf Yulian hinunter, der aufmerksam den Vikar anblickte, der murmelnd aus seinem Buch vorlas. Das Babygesicht zeigte einen eigenartigen Ausdruck: weder geistesabwesend, noch begeistert. Irgendwie eindringlich. Babygesichter waren recht ausdrucksstark.

»... segne ihn mit dem Heiligen Geist, daß er ...«

Der Heilige Geist. Unter diesen reglosen Bäumen am Abhang der kreuzförmigen Hügel hatten sich auch Geister gerührt, allerdings keine heiligen. Eher unheilige!

Donner grollte in einiger Entfernung, und die hohen, farbigen Glasfenster wurden einen Moment lang von einem Blitz hell erleuchtet, bevor dort noch tiefere Düsternis herrschte. Über dem Taufbecken war allerdings ein Licht eingeschaltet, um dem stark kurzsichtigen Vikar beim Ablesen zu helfen. Er schauderte sichtlich, als er seinen Text ablas, denn mit einem Mal schien die Temperatur deutlich abzufallen.

Der alte Mann unterbrach sich einen Augenblick lang, sah auf und blinzelte. Sein Blick wanderte von den Gesichtern der drei Erwachsenen zu dem des Babys, blieb dort einen Moment haften, dann blinzelte er wieder. Er sah die Lampe über dem Becken an und anschließend blickte er zu den Fenstern hinüber. Obwohl er schauderte, bildeten sich auf seiner Stirn und seiner Oberlippe Schweißtropfen.

»Ich ... ich ...« stotterte er.

»Ist alles in Ordnung mit Ihnen?« fragte George besorgt. Er nahm den Vikar am Arm.

»Nur eine Erkältung.« Der alte Mann bemühte sich zu lächeln, brachte aber lediglich fertig, auszusehen, als sei ihm schlecht. Seine Lippen schienen an den Zähnen festzukleben, die offensichtlich falsch waren und schlecht saßen, und er entschuldigte sich sofort überschwänglich. »Es tut mir wirklich leid, aber das ist nichts Außergewöhnliches. Es zieht hier ziemlich stark, müssen Sie wissen. Aber machen Sie sich keine Sorgen, ich lasse Sie nicht im Stich. Wir werden das nun beenden. Es hat mich nur so schnell überkommen, das ist alles.« Das kränkliche Lächeln verschwand aus seiner Miene.

»Nach dieser Taufe sollten Sie den Rest des Wochenendes im Bett verbringen!« mahnte Anne.

»Das werde ich wahrscheinlich auch, meine Liebe.« Damit vertiefte sich der Vikar wieder in seinen Text.

Georgina sagte gar nichts. Sie spürte etwas Fremdartiges, Unerwünschtes. Irgend etwas Irreales war da ... Konnten Kirchen die Stirn runzeln oder finster dreinblicken? Diese hier tat es. Sie war seit ihrer Ankunft bereits feindselig gewesen. Deshalb fühlte sich auch der Vikar nicht wohl in seiner Haut: Er spürte es, wußte aber nicht, woran es lag.

Woher weiß ich eigentlich, was es ist? fragte sich Georgina. *Habe ich so etwas schon früher wahrgenommen?*

»... sie brachten die jungen Kinder zu Christus, damit er sie berühre ...«

Georgina fühlte, wie die Kirche ächzte und versuchte, sie loszuwerden. Oder, nein, nicht sie selbst ... Yulian?

Sie sah ihr Baby an. Es erwiderte ihren Blick. Der Kleine hatte einen Zug um den Mund, als lächle er, aber es war kein echtes Lächeln. Die Augen blickten bewußt und hellwach drein. Als sie ihn noch anblickte, bemerkte sie, wie sich die Augäpfel drehten und er nun den alten Vikar aufmerksam ansah. Daran war nun wirklich nichts Besonderes. Es war nur ... der Blick wirkte so zielbewußt.

Yulian ist ein normales Kind! Georgina wehrte sich gegen die Gedanken, die in ihr aufkamen. Sie hatte dieses Gefühl schon früher empfunden und sich dagegen gewehrt, und das mußte sie wiederholen. *Er ist ein normales Baby!* Es lag an ihr, nicht an ihrem Kind. Sie machte Yulian für Ilyas Tod verantwortlich. Das war die einzige mögliche Erklärung.

Sie sah zu Anne und George hinüber, und beide lächelten sie beruhigend an. Spürten sie diese Kälte nicht, diese eigenartige Stimmung? Die beiden glaubten offensichtlich, sie sei des Vikars und der Taufe wegen besorgt. Darüber hinaus fühlten sie wohl nichts. Oh, vielleicht, wie zugig es hier war, aber das war auch alles.

Georgina empfand mehr als nur die Kälte. Genau wie der Vikar. Er übersprang jetzt ganze Zeilen seines Textes, leierte alles beinahe mechanisch herunter, wirkte wenig menschlich – wie ein hagerer Roboter-Pinguin. Er vermied es, irgendjemanden direkt anzusehen, vor allem Yulian. Möglich, daß er den unverwandten Blick des Babys auf sich ruhen fühlte.

»Liebe Taufpaten«, sang er nun Anne und George an, »Ihr habt dieses Kind hierher gebracht, um es taufen zu lassen ...«

Ich muß ihn aufhalten! Georginas Gedanken wirbelten immer wilder durcheinander. Sie geriet in Panik. *Muß einfach, bevor – bevor was? passiert!*

»... ihn von seinen Sünden zu erlösen, zu heiligen ...«

Draußen – nun viel näher – grollte der Donner wieder, begleitet von einem Blitz, der erneut die Fenster an der Westseite grell erleuchtete und kaleidoskopartige, bunte Reflexe an die gegenüberliegenden Wände zauberte.

Die Gruppe am Taufbecken wurde erst golden, dann grün und schließlich rot beleuchtet. Yulian lag wie mit Blut übergossen in Georginas Armen, und selbst seine Augen, die noch immer den Vikar anstarrten, waren wie in Blut getaucht.

Im hinteren Teil der Kirche, unter der Kanzel, hatte fast unbemerkt die ganze Zeit über ein Friedhofsarbeiter den Boden gefegt. Aus einem unerfindlichen Grund warf er nun plötzlich den Besen weg, riß sich die schwarze Schürze vom Leib und rannte aus der Kirche. Dabei knurrte er zornig etwas in sich hinein, was jedoch keiner der anderen verstand. Ein weiterer Blitz färbte ihn blau, grün und schließlich weiß wie eine noch nicht entwickelte Fotografie, als er die Tür erreichte und außer Sicht eilte.

»Ein Exzentriker!« Der Vikar, der sich anscheinend wieder etwas gefangen hatte, sah ihm mit hochgezogenen Augenbrauen hinterher. »Er reinigt die Kirche, weil er angeblich »ein Gefühl dafür« hat. Jedenfalls hat er mir das erzählt.«

»Äh, können wir ... weitermachen?« George hatte offenbar die Nase von den Unterbrechungen voll.

»Selbstverständlich, selbstverständlich«, murmelte der alte Mann, blickte auf seine Bibel herab und übersprang schon wieder mehrere Zeilen. »... daß er dem Teufel und all seinen Versuchungen widersteht und ...«

Yulian hatte auch genug davon. Er begann zu strampeln und holte Luft zum Schreien. Sein Gesicht quoll auf und färbte sich ein wenig blau, was normalerweise bedeutete, daß Frust und Zorn gerade unter der Oberfläche der kleinen Persönlichkeit kochten.

Georgina konnte einen ausgedehnten Seufzer der Erleichterung nicht unterdrücken. Yulian war doch schließlich nichts anderes als ein hilfloses Baby!

»... wurde gekreuzigt, starb und wurde begraben, fuhr hinab zur Hölle und ist am dritten Tage wieder auferstanden ...«

Nur ein Baby, dachte Georgina, *von Ilyas Blut und meinem und ... und?*

Es war stockdunkel in der Kirche. Das Gewitter befand sich geradewegs über ihnen.

»... und das ewige Leben nach dem Tode?«

Georgina zuckte zusammen, als George und Anne im Chor antworteten: »All dies glauben wir von ganzem Herzen.«

»Wird er also in diesem Glauben getauft werden?«

Wieder George und Anne: »Das ist sein Wunsch.«

Doch Yulian widersprach! Er fing lauthals zu schreien an, strampelte mit einer erstaunlichen Kraft, daß seine Mutter ihn kaum festhalten konnte. Der alte Pfarrer spürte, wie sich Unheil zusammenbraute – nicht *das* große Unheil, aber immerhin – und entschloß sich, die Prozedur abzukürzen. Er nahm Georgina das Baby ab. Yulians weißes Taufmäntelchen wirkte in diesem Dämmerlicht neonfarben, während das Baby wie ein rosa Fleck im Neonschein schwamm.

Über das Schreien des Kindes hinweg sagte der alte Vikar zu George und Anne: »So gebt diesem Kind einen Namen.«

»Yulian«, antworteten beide wie aus einem Mund.

»Yulian.« Er nickte. »So taufe ich dich im Namen des ...« Er brach ab und starrte das Kind an. Seine rechte Hand hatte er automatisch, ohne nachzudenken, in das Becken getaucht, damit etwas Weihwasser herausgenommen, und sie wieder erhoben. Wasser tropfte von seinen Fingern.

Yulian schrie weiter.

Anne und George und Georgina nahmen lediglich sein Weinen wahr, nicht mehr. Jetzt, da sie das Kind nicht mehr hielt, fühlte sie sich mit einem Mal wie befreit, unbelastet, als stehe sie neben allem, was geschehen würde. Sie war irgendwie nicht involviert, nur eine Beobachterin. Sollte der Priester sein eigenes Ritual ausbaden! Auch sie nahm nur Yulians Schreien wahr – doch sie spürte, wie sich etwas Außergewöhnliches, etwas Enormes näherte.

Für den Vikar hatte sich das Schreien des Kindes verändert. Es war kein Kind mehr, sondern ein Tier.

Der Pfarrer öffnete verblüfft den Mund. Blinzelnd blickte er auf. Da waren die unsicher lächelnden Gesichter von George und Anne, und da stand Georgina, die ein wenig blaß und verloren wirkte.

Und dann blickte er wieder Yulian an.

Das Baby knurrte nun wie ein zorniges Tier! Das Schreien war nur Tarnung gewesen, wie ein Parfüm, das den Gestank von Stallmist überdeckt. Unter allem lag das tiefe, angsteinflößende Grollen des reinen Schreckens.

Automatisch spritzte der alte Mann mit zitternder Hand – wie ein Blatt im Sturm – ein wenig Weihwasser auf die fiebrige Stirn des Babys, und malte mit der Fingerspitze ein Kreuz darauf. Es war, als habe er statt Wasser Säure verwendet!

NEIN! widersprach das donnernde Grollen einer geisterhaften Stimme. MALE MIR KEIN KREUZ AUF, DU VERRÄTERISCHER CHRISTENHUND!

»Was ...« Der Vikar fürchtete, er sei übergeschnappt. Er riß seine Augen hinter den dicken Brillengläsern weit auf.

Die anderen hörten nichts außer dem Schreien des Babys – das nun augenblicklich abbrach.

Der alte Mann und das Kind starrten sich in dieser betäubenden Stille gegenseitig an. »Was?« fragte der Vikar nochmals, diesmal im Flüsterton. Vor seinen Augen schwoll die Stirn des Kindes an zwei Stellen an. Wie kleine Vulkane kurz vor dem Ausbruch, so wirkten diese Erhebungen. Die feine Haut brach auf, und stumpfe Bockshörner schoben sich heraus, krümmten sich, noch während sie länger wurden. Yulians Kiefer verlängerten sich zu einer Hundeschnauze, die sich öffnete und eine rote Höhle enthüllte, mit weißen Messern gespickt und mit der zuckenden, gespaltenen Zunge einer Viper. Der Atem des Dings stank fürchterlich, wie ein offenes, uraltes Grab. Der Blick aus den schwefelgelben Augen brannte wie Feuer auf dem Gesicht des Vikars.

»Jesus!« stöhnte der alte Mann. »Oh, mein Gott, was bist du?« Und er ließ das Kind fallen. Oder zumindest hätte er es fallen lassen, hätte nicht George bemerkt, wie seine Augen glasig wurden und der Körper erschlaffte, wie das Blut rasch aus dem Gesicht des alten Mannes wich. Der Vikar brach zusammen, George trat vor und fing Yulian auf.

Anne, die ebenfalls schnell reagiert hatte, fing den alten Mann ab und brachte es fertig, ihn, wenn auch nicht gerade sanft, zu Boden gleiten zu lassen.

Auch Georgina taumelte. Wie die beiden anderen hatte sie wohl nichts gesehen, gehört oder gerochen, aber sie war Yulians Mutter. Sie hatte *gespürt,* wie sich etwas näherte, und sie wußte hinterher mit Sicherheit, daß es dagewesen war. Nun fiel auch sie in eine tiefe Ohnmacht, und in dem gleichen Moment schlug ein Blitz in den Kirchturm ein, und eine wahre Kanonade von Donnerschlägen grollte über sie hinweg.

Dann herrschte nur noch Stille. Und das Tageslicht kehrte langsam wieder und beleuchtete die Staubkörner, die in ganzen Schleiern von den oberen Teilen der Kirche herabregneten.

George und Anne, bleich wie Gespenster, starrten sich mit offenen Mündern im Dämmerlicht an. Und Yulian lag engelsgleich in den Armen seines Paten.

Georgina brauchte ein Jahr, um sich zu erholen. Während dieser Zeit blieb Yulian bei seinen Paten, doch als das Jahr um war, bekamen sie selbst ein Kind, um das sie sich liebevoll kümmerten.

Yulians Mutter verbrachte das Jahr in einem exklusiven Sanatorium. Niemand war sehr überrascht von dieser Entwicklung. Der Zusammenbruch, den sie lange genug hinausgezögert hatte, war schließlich doch mit aller Macht eingetroffen. George und Anne und andere ihrer Freunde besuchten sie regelmäßig, aber niemand erwähnte ihr gegenüber die abgebrochene Taufe und den Tod des Vikars.

Er war wahrscheinlich einem Schlaganfall erlegen. Um die Gesundheit des alten Mannes war es ja ohnehin nicht gut bestellt gewesen. Er überlebte nur noch wenige Stunden nach seinem Zusammenbruch in der Kirche. George war mit ihm im Krankenwagen in die Klinik gefahren und an seiner Seite geblieben, als er starb. In jenen letzten Augenblicken, bevor er diese Welt für immer verließ, war der alte Mann noch einmal zu sich gekommen.

Sein Blick hatte sich auf Georges Gesicht gerichtet. Die Augen waren groß gewesen, voll von Erinnerung und Ungläubigkeit.

»Es ist alles in Ordnung«, hatte George ihn beruhigen wollen, und die Hand getätschelt, die mit fiebriger Kraft seinen Unterarm umklammerte. »Entspannen Sie sich. Sie sind in besten Händen!«

»In besten Händen? Besten Händen? Mein Gott!« Der alte Mann hatte den Eindruck gemacht, wieder ganz klar zu sein. »Ich träumte ... ich träumte ... da war eine Taufe. Sie waren dabei.« Es klang fast wie eine Anschuldigung.

George lächelte. »Die Taufe *hätte* stattfinden *sollen*«, hatte er geantwortet. »Aber machen Sie sich keine Gedanken. Sie können sie nachholen, wenn Sie wieder auf den Beinen sind!«

»Es war also kein Traum?« Der alte Mann versuchte, sich aufzusetzen. »Es *war* Wirklichkeit!«

George und eine Krankenschwester stützten den Priester und ließen ihn sanft auf die Kissen zurücksinken, als er erneut zusammensackte. Dann fiel er buchstäblich in sich zusammen. Sein Gesicht verzerrte sich.

Die Schwester rannte aus dem Zimmer, um nach einem Arzt zu rufen. Unter Krämpfen winkte der Vikar mit einem zuckenden Finger George näher zu sich heran. Sein Gesicht veränderte fortwährend den Ausdruck. Die Haut wirkte bleiern.

George beugte sich vor und hielt sein Ohr vor die Lippen des alten Mannes, um sein Flüstern verstehen zu können. »Es taufen? Nein, nein, das dürfen Sie nicht! Zuerst müssen Sie es ... müssen Sie ... es *exorzieren!*«

Und das waren die letzten Worte, die der Priester gesprochen hatte. George erwähnte sie niemandem gegenüber. Offensichtlich hatte der Verstand des Alten gelitten.

Eine Woche nach der mißlungenen Taufe bekam Yulian viele weiße Bläschen auf der Stirnhaut. Doch sie trockneten schließlich aus und fielen in kleinen Flocken ab. Nur winzige Närbchen, beinahe wie Sommersprossen, blieben zurück.

FÜNFTES KAPITEL

»Er war so ein süßes kleines Ding!« Anne Lake lachte, schüttelte den Kopf, und ihr blondes Haar flog im Fahrtwind vom halb geöffneten Autofenster her. »Erinnerst du dich noch daran, als er das Jahr über bei uns war?«

Es war im Spätsommer 1977 und sie fuhren zu Georgina, um eine Woche mit ihr und Yulian zu verbringen. Sie hatten die beiden zuletzt vor zwei Jahren gesehen. Auf George hatte der Junge einen eigenartigen Eindruck gemacht, was er auch bei verschiedenen Gelegenheiten erwähnt hatte – natürlich nicht Georgina und schon gar nicht Yulian selbst gegenüber, aber mit Anne allein hatte er darüber gesprochen. Deshalb äußerte er sich jetzt auch wieder kritisch. »Ein süßes kleines Ding?« Er zog eine Augenbraue hoch. »So könnte man es vielleicht auch sagen. Abartig wäre möglicherweise die bessere Bezeichnung! Und wie ich nach unserem letzten Besuch damals annehme, hat er sich nicht geändert – ein abartiges Baby ist jetzt wohl zu einem abartigen jungen Mann geworden!«

»Oh, George, das ist lächerlich. Alle Babys unterscheiden sich nun mal voneinander. Yulian war, nun ja, etwas unterschiedlicher, und das ist alles.«

»Hör mal«, sagte George leicht aufgebracht. »Das Kind war noch keine zwei Monate alt, als wir es zu uns nahmen – und es hatte schon Zähne! Wie kleine Nadeln, und spitz wie noch was! Und ich erinnere mich, daß Georgina gesagt hat, er sei damit geboren worden. Deshalb konnte sie ihn nicht stillen.«

»George!« mahnte Anne in scharfem Tonfall, um ihn daran zu erinnern, daß Helen auf dem Rücksitz saß, ihre Tochter, ein ausgesprochen schönes, gelegentlich etwas frühreifes sechzehnjähriges Mädchen.

Helen seufzte ganz bewußt und hörbar.

Dann bemerkte sie: »Oh, Mutter! Ich weiß durchaus, wozu Brüste da sind – ganz abgesehen von ihrer natürlichen Anziehungskraft auf das andere Geschlecht. Warum mußt du sie unbedingt auf deine Tabu-Liste setzen?«

»Ein Titten-Tabu«, kommentierte George grinsend.

»*George!*« mahnte ihn Anne, diesmal noch nachdrücklicher.

»Neunzehnhundertsiebenundsiebzig«, spöttelte Helen, »aber das merkt man nicht. Jedenfalls nicht in dieser Familie. Ich meine doch, sein Baby zu stillen ist etwas ganz Natürliches, oder? Natürlicher als sich in der hintersten Reihe von irgendeinem schmuddeligen Kino die Titten begrabschen zu lassen!«

»Helen!« Anne wandte sich auf ihrem Sitz halb um und preßte die Lippen mißbilligend zusammen.

»Das ist schon verdammt lange her«, sagte George mit einem bedauernden Blick zu seiner Frau hinüber.

»Was ist verdammt lange her?« fauchte sie.

»Seit mich jemand im Kino angegrabscht hat«, antwortete er.

Anne schnaubte empört. »Das hat sie von dir!« beschwerte sie sich. »Du hast sie immer wie eine Erwachsene behandelt.«

»Weil sie eben beinahe erwachsen ist«, gab er zurück. »Man kann sie nur soweit führen und nicht weiter, Anne, mein Liebling, und danach werden sie selbständig. Helen ist gesund, intelligent, fröhlich, sieht gut aus und raucht nicht einmal Gras. Sie trägt seit zwei Jahren einen BH, und jeden Monat ...«

»*George!*«

»Tabu«, warf Helen kichernd ein.

»Jedenfalls«, und nun regte sich bei George der Ärger wieder, »haben wir über Yulian gesprochen und nicht über Helen. Ich gebe zu, daß unsere Tochter absolut normal ist. Keinesfalls jedoch ihr Cousin!«

»Gib mir ein Beispiel«, forderte ihn Anne auf. »Nicht normal – ist er also *abnormal*? Was stimmt nicht mit ihm?«

»Immer, wenn ihr auf Yulian zu sprechen kommt«, warf Helen von hinten her ein, »bekommt ihr Krach miteinander! Ist er das eigentlich wert?«

»Deine Mutter ist sehr loyal gesinnt«, sagte ihr Vater entschuldigend. »Georgina ist ihre Cousine und Yulian ist nun einmal Georginas Sohn. Folglich sind sie unantastbar! Deine Mutter ignoriert ganz einfach die Tatsachen. Das ist das Gleiche wie bei all ihren Freunden: Sie duldet kein Wort gegen sie. Sehr löblich. Aber für mich bleiben Tatsachen eben Tatsachen. Und Yulian war und ist meiner Ansicht nach – nun, ein bißchen mehr, als ich verdauen kann. Einfach unnormal.«

»Meinst du damit«, bohrte Helen weiter, »daß er ein warmer Bruder ist?«

»Helen!« protestierte ihre Mutter wieder sehr nachdrücklich.

»Das habe ich aber von *dir*!« Damit nahm ihr Helen den Wind aus den Segeln. »Du bezeichnest doch Schwule immer als warme Brüder!«

»Ich spreche *nie* über ... über Homosexuelle!« Anne war nun sichtlich wütend. »Und ganz bestimmt nicht mit dir!«

»Ich habe gehört, wie sich Paps *mit dir* über ein oder zwei seiner männlichen Bekannten unterhalten hat, und er hat gesagt, die wären so schwul wie der katholische Pfarrer!« sagte Helen ganz selbstverständlich. »Und *du* hast geantwortet: Was, der ist ein warmer Bruder? Tatsächlich?«

Anne fuhr zu ihr herum und hätte sie womöglich sogar geohrfeigt, wenn sie in ihrer Reichweite gesessen hätte. Mit knallrot angelaufenem Gesicht schrie sie: »Dann müssen wir dich in Zukunft eben zuerst in dein Zimmer einschließen, bevor wir uns wie Erwachsene unterhalten können! Du bist ein schreckliches Kind!«

»Solltest du!« Helen stand ihr an Temperament in nichts nach. »Bevor ich auch noch zu fluchen anfange wie du!«

»Schon gut, schon gut!« versuchte George die beiden zu beruhigen. »Jetzt hat jede ihre Meinung gesagt. Denkt daran, daß wir auf Urlaub sind! Vielleicht ist das ja alles meine Schuld, weil ich Yulian so auf dem Kieker habe. Und ich kann nicht einmal erklären, warum. Aber wenn wir da sind, bleibt er ohnehin meistens für sich, und ich hoffe ja inständig, es ist diesmal dasselbe. Ich möchte meinen Seelenfrieden wahren. Er paßt mir eben einfach nicht. Was den warmen Bruder betrifft – kann ich nicht sagen. Immerhin wurde er aus dem Internat geworfen, und ...«

»Wurde er *nicht*!« mußte Anne natürlich einwerfen. »Rausgeworfen – ha! Er hat die Prüfung ein Jahr früher bestanden als die anderen! Was ich damit sagen will: Wenn man überdurchschnittlich intelligent ist ... muß man dann gleich homosexuell veranlagt sein? Was für ein Unsinn! Und unsere kluge, allwissende Tochter hier hat wohl ein paar Einsen im Zeugnis und fühlt sich ganz groß! In dem Fall steht Yulian allerdings gleich wie der liebe Gott persönlich da. Und, George, wie waren denn deine Zeugnisse?«

»Ich verstehe nicht, was das Eine mit dem Anderen zu tun hat!« gab George zurück. Sie sah ihn triumphierend an. »Also gut, ich war bloß Lehrling, wie du sehr wohl weißt. Meine Berufsschulzeugnisse waren gut. Und dann war ich Vertreter, habe als Architekt für meinen Boss die Kohlen aus dem Feuer geholt und mich schließlich selbständig gemacht. Und überhaupt ...«

»*Akademische* Bildung?« Sie hatte sich festgebissen.

George fuhr schweigend weiter und rollte sein Fenster herunter, um die frische, warme Luft einzuatmen. Nach einer Weile sagte er leise: »Die gleiche wie du, mein Liebling!«

»Also gar keine!« triumphierte sie. »Yulian ist schlauer als wir alle zusammengenommen! Ich behaupte, wenn er genug Zeit hat, wird er es uns allen auch beweisen! Ja, ich gebe zu, er ist ein ruhiger Typ und schleicht manchmal wie ein Gespenst herum, und er scheint weniger aktiv und lebenslustig zu sein als andere in dem Alter. Aber das ist doch wohl zu entschuldigen. Sieh doch seine Probleme: Er ist ohne Vater aufgewachsen, nur mit Georgina, und sie ist nach Ilyas Tod nie mehr die Alte gewesen. So hat er zwölf Jahre seines jungen Lebens mehr oder weniger in diesem düsteren alten Haus verbracht! Kein Wunder, wenn er sich ein wenig – zurückgezogen hat.«

Damit gaben sich die anderen geschlagen. Sie widersprachen nicht mehr, hatten das Interesse an einer weiteren Diskussion offensichtlich verloren. Anne zermarterte sich das Hirn, um ein neues Gesprächsthema zu finden, kam auf nichts, und so ließ sie sich entspannt auf ihren Sitz zurücksinken.

Zurückgezogen. Helen dachte intensiv darüber nach. Schwang da bei ihrer Mutter etwas mit, wie *zurückgeblieben*? Wohl nicht, denn gerade so etwas hatte sie ja vehement bestritten. Scheu? Ja, das hatte sie wahrscheinlich gemeint. Und so mußte er wohl auch allen erscheinen, die es nicht besser wußten. Helen allerdings wußte es besser, von jenem letzten Besuch vor zwei Jahren her. Und was »schwul« betraf – das bezweifelte sie doch sehr. Bei diesem Gedanken lächelte sie verstohlen. Sollten sie das ruhig glauben. Solange sie in diese Richtung dachten, hatten sie nichts dagegen, wenn sie mit ihm zusammen war. Nein, ganz schwul war Yulian auf keinen Fall. Vielleicht ein bißchen bi.

Damals, vor zwei Jahren ...

Helen hatte eine Ewigkeit gebraucht, bis er endlich ihr gegenüber auftaute.

Sie erinnerte sich noch genau daran: Es war ein Bilderbuch-Sonntag, der zweite Tag ihres zehntägigen Urlaubs bei Georgina. Ihre Eltern waren mit ihrer Tante zusammen nach Salcombe gefahren, um im Meer zu baden und in der Sonne zu liegen. Yulian und Helen waren zu Hause geblieben.

Sie wollte den riesigen Garten erforschen, die Scheune, die verfallenen Stallungen und den düsteren Hain mit seinem dichten Unterholz. Er wollte mit seinem Schäferhund-Welpen spielen, denn ihm lag nichts am Baden. Im Gegenteil: Yulian verabscheute Sonnenschein und Meer. Und Helen war alles andere lieber, als die Zeit mit ihren Eltern verbringen zu müssen.

»Kommst du mit?« fragte sie Yulian, als sie ihn mit dem tolpatschigen Welpen in der dunklen, kühlen Bibliothek vorfand.

Er schüttelte den Kopf.

In dem schattigen Raum, in den wohl nie ein Sonnenstrahl fiel, lümmelte er sich – blaß wie immer – auf die Couch, kraulte die Schlappohren des Welpen mit einer Hand, während er in der anderen ein Buch hielt.

»Warum nicht? Du könntest mich herumführen!«

Er sah das Hundchen an. »Er kann noch nicht weit laufen. Siehst du, er ist noch nicht sicher auf den Beinen. Und ich bekomme so schnell einen Sonnenbrand. Mir liegt wirklich nichts an der Sonne. Und außerdem lese ich gerade.«

»Du bist auch nicht gerade unterhaltsam!« maulte sie und zeigte dabei einen Schmollmund. Und dann: »Liegt immer noch Stroh oben auf dem Heuboden der Scheune?«

»Heuboden?« Yulian blickte überrascht drein. Sein langes und recht hübsches Gesicht hob sich blaß von der mit dunklem Samt überzogenen Couch ab. »Dort oben war ich schon jahrelang nicht mehr.«

»Was liest du denn überhaupt?« Sie hatte sich neben ihn gesetzt und griff nach dem Buch, das er mit seinen langen, zarten Fingern hielt.

Er zog das Buch sofort zurück. »Nichts für kleine Mädchen«, sagte er, ohne das Gesicht zu verziehen.

Frustriert schüttelte sie den Kopf, daß die Haare nur so flogen, und blickte sich in dem großen Raum um. Er war wirklich groß, in der Mitte abgeteilt, so daß er wie eine öffentliche Bücherei wirkte: Regale vom Boden bis unter die Decke, und Nischen mit unzähligen weiteren Büchern an sämtlichen Wänden. Es roch nach muffigen alten Büchern.

Nein, es *stank* schon danach, so daß man die Luft anhalten mußte, um nicht Worte und Druckerschwärze und Leim und Papier einzuatmen.

In einer Ecke stand ein Regalschrank, dessen Tür geöffnet war. Spuren auf dem Teppichboden zeigten deutlich, wo Yulian oftmals eine Trittleiter vor die gleiche Stelle im Regal gezogen hatte. Die Bücher ganz obenauf waren fast im Dunkel des spinnwebenbehangenen Schranks verborgen. Im Gegensatz zu den sauberen Bücherreihen auf den unteren Regalbrettern lagen sie in unordentlichen Stapeln übereinander, als habe er sie öfters herausgezogen und sich nicht die Mühe gemacht, sie wieder ordentlich hineinzustellen.

»Ach?« Sie war aufgestanden. »Ich bin also ein kleines Mädchen? Und was bist du dann? Wir sind nur ein Jahr auseinander, weißt du?« Sie war zu der Trittleiter hinübergegangen und stieg hinauf.

Yulians Adamsapfel hüpfte. Er legte sein Buch weg und sprang auf. »Das läßt du bleiben!« verlangte er ganz kühl, als er vor der Leiter stand.

Sie beachtete ihn nicht, sah sich die Buchrücken an und las die Titel laut vor: »Coates *Menschlicher Magnetismus* oder *Wie man Menschen hypnotisiert.* Was? So'n Quatsch! *Lykan* ... wie heißt das? *Lykanthropie.* Eh? Und – *Der erotische Beardsley!*« Sie klatschte entzückt in die Hände. »Schmutzige Bilder, was, Yulian?« Sie nahm das Buch aus dem Regal und öffnete es. »Oh!« sagte sie, bereits ein wenig leiser. Die schwarz-weiß-Zeichnung auf der Seite, die sie aufgeschlagen hatte, war eher tierisch als erotisch.

»Leg das weg!« zischte Yulian von unten her. Helen legte den Beardsley weg und las weitere Titel vor: »*Vampirismus* – igitt! *Sexualität bei Nymphomanie und Satyriasis. Parasitäre Wesen?* Was für eine Vielfalt! Und überhaupt nicht verstaubt, diese alten Bücher. Liest du viel darin, Yulian?«

Er rüttelte an der Leiter und beharrte darauf: »Komm jetzt runter!« Seine Stimme klang leise und beinahe drohend. Sie klang auch kehliger und tiefer, als sie sie jemals gehört hatte. Fast schon die Stimme eines Erwachsenen – gar nicht mehr jugendlich. Dann sah sie ihn an.

Yulian stand dort unten, das Gesicht ihr zugewandt – auf Höhe ihrer Knie.

Seine Augen wirkten, als seien sie aus einem Papiergesicht ausgestanzt worden. Die Pupillen glänzten schwarz. Sie bemühte sich, seinen Blick zu erwidern, was jedoch nicht gelang, da er ihre Augen mied.

»Also, ich glaube beinahe«, sagte sie provokativ, »du hast es faustdick hinter den Ohren, Yulian! Diese ganzen Bücher und auch sonst ...« Sie hatte ihr kürzestes Kleid angehabt, weil es so heiß war, und jetzt war sie froh darüber gewesen.

Er blickte zur Seite, faßte sich an die Stirn und wandte sich ab.

»Du ... du wolltest die Scheune sehen?« Seine Stimme klang wieder sanft.

»Können wir?« Sie war im Nu wieder unten. »Ich mag alte Scheunen! Aber deine Mutter sagte, sie sei nicht sehr stabil.«

»Ich glaube, sie ist stabil genug«, antwortete er. »Georgina ist ziemlich ängstlich.« Er hatte seine Mutter mit Georgina angeredet, seit er ein kleiner Junge war. Sie hatte wohl nichts dagegen.

Sie schritten durch das weitläufige alte Haus zum Vordereingang. Yulian entschuldigte sich einen Moment lang, um in sein Zimmer zu huschen. Als er wieder erschien, trug er eine Sonnenbrille und einen weichen Hut mit breiter Krempe. »Jetzt siehst du aus wie ein bleicher mexikanischer Bandit«, kommentierte Helen und ging voran.

Der schwarze Schäferhund-Welpe wackelte hinterher, als sie zur Scheune marschierten. Diese war lediglich ein ganz einfaches Steingebäude, über dessen obere Trägerbalken man Holzplanken gelegt hatte, die eine Art von Plattform oder Tenne bildeten – den Heuboden. Nebenan befanden sich die Stallungen, eine Gruppe heruntergekommener und halb verfallener flacher Gebäude. Bis vor etwa fünf oder sechs Jahren hatten die Bodescus dort den Winter über die Pferde eines benachbarten Bauern untergebracht, und in der Scheune hatte man Stroh und Heu für sie gelagert.

»Wozu braucht ihr eigentlich so viel Platz zum Wohnen?« fragte Helen, als sie die Scheune durch eine quietschende Holztür betraten. Schatten, staubdurchtanzte Sonnenstrahlen und das leise Huschen von Mäusen empfing sie.

»Wie bitte?« fragte er einen Moment später, offensichtlich geistesabwesend.

»Dieses Haus. Mitsamt dem Grundstück. Und diese hohe Mauer

außen herum. Welche Fläche wird von der Mauer eingeschlossen? Ein Hektar?«

»Ein bißchen mehr als ein und ein Viertel Hektar«, antwortete er.

»Ein großes, weitläufiges Haus, alte Ställe, Scheunen, eine überwucherte Pferdekoppel, und auch noch ein schattiger Hain, durch den man im Herbst spazieren kann, wenn alle Farben alt werden! Also weißt du, wozu brauchen zwei gewöhnliche Menschen so viel Platz zum Leben?«

»Gewöhnlich?« Er sah sie mit einem eigenartigen Blick an. Seine Augen schimmerten feucht hinter den dunklen Brillengläsern. »Und betrachtest du dich selbst als einen gewöhnlichen Menschen?«

»Natürlich.«

»Ich aber nicht. Ich halte dich für durchaus außergewöhnlich. Genau wie mich selbst und Georgina – jeden aus einem anderen Grund.« Es klang sehr ernst und fast schon aggressiv, als solle sie es ja nicht wagen, ihm zu widersprechen. Doch dann zuckte er die Achseln. »Was soll's, es spielt ohnehin keine Rolle, warum wir das benötigen. Es gehört uns eben, das ist alles.«

»Aber wie seid ihr an das Haus gekommen? Ich meine, ihr habt das doch bestimmt nicht gekauft! Es gibt so viele andere, bequemere Wohnungen!«

Yulian schritt über den gepflasterten Fußboden, wobei er über alte Steinplatten und verrostete landwirtschaftliche Geräte hinwegsteigen mußte, hinüber zu der hölzernen Treppe. »Heuboden«, sagte er, wobei er seine dunklen Augen auf sie richtete. Sie konnte die Augen wohl nicht sehen, den Blick fühlte sie aber deutlich.

Manchmal wirkten seine Bewegungen so fließend, als wandle er im Schlaf. So kamen sie ihr auch jetzt vor, da er langsam, Schritt für Schritt, die Treppe hochstieg.

»Es liegt immer noch Stroh da«, sagte er mit einer Stimme, die in ihrem Timbre und ihrer Tiefe einem still daliegenden, unergründlichen See ähnelte.

Sie blickte ihm nach, bis er oben außer Sicht war. Etwas Hageres, Hungriges war an ihm. Ihr Vater hielt ihn für einen Weichling, doch Helen war anderer Meinung. Sie betrachtete ihn als intelligentes Tier, als einen Wolf. Immer verstohlen und unaufdringlich, ständig am Rande des Sichtbereichs, so wartete er auf seine große Stunde ...

Sie hatte mit einem Mal das Gefühl, sie müsse ersticken, und holte dreimal lange und bewußt Luft, bevor sie ihm nachstieg. Während sie vorsichtig die Holzstufen emporschritt, sagte sie: »Jetzt erinnere ich mich! Es gehörte deinem Urgroßvater, nicht wahr? Das Haus, meine ich.«

Sie trat auf die Tenne hinaus. Drei große Heuballen lagen ausgebleicht und staubig aufeinandergestapelt auf den Dielen. Das eine Ende des Heubodens stand offen und wurde nur durch das überstehende Dach geschützt. Zwischen den lückenhaften Ziegeln drangen dünne, heiße Sonnenstrahlen durch, in denen unzählige Staubkörner tanzten.

Yulian nahm ein Taschenmesser heraus und zerschnitt energisch die Stricke, die den obersten Ballen zusammenhielten. Das Heu fiel auseinander wie ein uraltes Buch, und dann schleppte er große Armladungen davon nach vorn und verteilte sie auf der Tenne.

Ein Bett, wie geschaffen für einen Zigeuner, dachte Helen. *Oder für eine Dirne.*

Sie ließ sich vorwärts auf die weiche Unterlage fallen und war sich durchaus bewußt, daß ihr Kleid hochrutschte und ihr Schlüpfer gut zu sehen war. Sie dachte nicht daran, es wieder herunterzuziehen, spreizte lediglich die Beine etwas und wühlte sich mit dem Bauch ins Heu hinein, um bequemer zu liegen. Die Bewegung sollte völlig unbewußt wirken, war es aber keineswegs.

Yulian stand eine ganze Weile regungslos da, und sie spürte, wie sein Blick auf ihr ruhte, doch sie stützte nur ihr Kinn auf eine Hand und blickte hinaus auf den Hof. Von hier aus konnte sie die Außenmauer sehen, den gewundenen Fahrweg, den Hain. Yulians Schatten löschte mit einem Mal die Flecken des Sonnenscheins aus, und sie hielt die Luft an. Das Heu verschob sich und sie wußte, daß er hinter ihr stand – wie ein Wolf im Wald.

Sein Schlapphut fiel in das Heu zu ihrer Linken, seine Sonnenbrille flog genau in den Hut hinein, und dann legte er sich rechts neben sie, den Arm wie selbstverständlich um ihre Taille geschlungen. Selbstverständlich, ja, und leicht wie eine Feder, doch sie hatte das Gefühl, in einer eisernen Klammer gefangen zu sein. Die Lage mußte furchtbar unbequem für ihn sein, und sie spürte, wie sein Arm zu zittern begann, weil er ihn hochhielt, anstatt ihn wirklich auf ihren Körper zu legen. Es schien ihm nichts auszumachen. Das war auch nicht zu erwarten gewesen.

»Meinem Urgroßvater, stimmt!« beantwortete er endlich ihre Frage. »Er wohnte und starb hier. Dann hat Georginas Mutter das Haus geerbt. Ihrem Mann, also meinem Opa, hat es nicht gefallen, und so vermieteten sie es und zogen nach London. Nach ihrem Tod erbte Georgina alles. Der alte Oberst, der hier wohnte, hatte das Recht, bis zu seinem Tod hier zu bleiben, doch schließlich starb er und Georgina kam her, um das Haus zu verkaufen. Sie brachte mich mit. Ich war damals noch keine fünf, glaube ich, aber es gefiel mir hier und das sagte ich ihr auch. Ich wollte, daß wir hier wohnen, und Georgina hielt das für einen guten Einfall.«

»Du bist wirklich bemerkenswert!« sagte sie. »Ich kann mich an nichts mehr aus der Zeit erinnern, als ich fünf war.« Sein Arm lag nun schräg über ihr, so daß seine Fingerspitzen gerade noch ihren Oberschenkel genau unterhalb der Wölbung ihres Hinterteils berührten. Helen hatte das Gefühl, daß von seinen Fingern kleine elektrische Schläge ausgingen. Sie wußte wohl, daß das unmöglich war, aber genau das empfand sie bei der Berührung.

»Ich kann mich an alles erinnern, beinahe von dem Augenblick meiner Geburt an«, erzählte er ihr mit seiner beinahe hypnotischen Stimme. Vielleicht wollte er sie ja tatsächlich hypnotisieren. »Manchmal glaube ich, daß ich mich sogar an Geschehnisse vor meiner Geburt erinnern kann.«

»Na gut, das erklärt, warum du ein außergewöhnlicher Mensch bist«, gab sie zu, »aber wieso hältst du mich ebenfalls für außergewöhnlich?«

»Deine Unschuld«, erwiderte er wie aus der Pistole geschossen, und nun klang seine Stimme, als schnurre ein Kater. »Und dein Wunsch, sie zu verlieren.« Seine Hand strich nun über ihren Po. Zarte elektrisch geladene Fingerspitzen strichen über ihre nackte Haut, hin und zurück, hin und zurück.

Helen seufzte, schob sich einen Strohhalm zwischen die Zähne und drehte sich langsam auf ihren Rücken. Das Kleid rutschte noch weiter hoch. Sie sah Yulian nicht an, sondern blickte mit weit geöffneten Augen auf die Reihen der Dachziegel. Als sie sich umdrehte, hatte er seine Hand ein klein wenig angehoben. Er nahm sie nicht weg.

»Mein Wunsch, sie zu verlieren? Nicht mehr unschuldig zu sein? Wieso glaubst du das?« Und sie dachte: *Ist es so offensichtlich?*

Als er antwortete, klang Yulians Stimme wie die eines erwachsenen Mannes. Kraftvoll und dunkel, wenn auch leicht belegt, sagte er: »Ich habe davon gelesen. Alle Mädchen in deinem Alter wollen ihre Unschuld verlieren.«

Seine Hand berührte ihren Bauch, zögerte auf ihrem Nabel und glitt dann unter den Gummi ihres Schlüpfers. Sie hielt ihn auf, legte ihre Hand auf seine und hielt sie fest. »Nein, Yulian. Das darfst du nicht.«

»Ich darf nicht?« Es klang erstickt, wie er das fragte. »Warum nicht?«

»Weil du recht hattest. Ich bin unschuldig. Und außerdem ist es der falsche Zeitpunkt.«

»Zeitpunkt?« Nun zitterte er wieder.

Sie schob seine Hand weg, seufzte tief und eröffnete ihm: »Oh, Yulian, ich blute gerade!«

»Du blutest?« Er rollte sich weg und sprang auf. Überrascht starrte sie ihn an. Er bebte wie im Fieber.

»Ja, ich blute«, bestätigte sie. »Das ist doch etwas ganz Natürliches!«

Nun lag keinerlei Blässe mehr über seinen Zügen. Sein Gesicht glühte; die Augen hatte er zu schmalen Schlitzen zusammengezogen.

»Du blutest?« Diesmal brachte er das wenigstens verständlich heraus. Er streckte die Arme mit gekrümmten Fingern nach ihr aus, daß sie beinahe wie Klauen wirkten. Einen Augenblick lang fürchtete sie, er werde über sie herfallen. Sie sah, wie sich seine Nasenlöcher aufblähten, wie einer seiner Mundwinkel nervös zuckte.

Zum ersten Mal verspürte sie etwas wie Furcht vor ihm, empfand seine Andersartigkeit. »Ja«, flüsterte sie. »Das geschieht jeden Monat ...«

Seine Augen weiteten sich ein wenig. Die Pupillen schienen rote Flecken aufzuweisen. Sicher ein Effekt der Sonnenstrahlen. »Ach, ach – deine Regel!« Nun erst schien er sie zu verstehen. »Oh, ja ...« Er wirbelte herum, rannte ein bißchen unsicher die Treppe hinunter und war weg. Dann hörte Helen, wie der Welpe vor Freude winselte (er hatte natürlich die Treppe nicht hochsteigen können), und das Winseln und unbeholfene Kläffen wurde leiser, als er Yulian zum Haus hinterherlief. Und schließlich erinnerte sie sich daran, weiterzuatmen.

»Yulian!« rief sie ihm nach. »Deine Sonnenbrille, dein Hut!« Aber er machte sich nicht die Mühe einer Antwort, falls er ihr Rufen überhaupt gehört hatte.

Den Rest des Tages über sah sie ihn nicht, suchte allerdings auch nicht nach ihm. Und weil sie ihren Stolz hatte und er kein Gespräch mit ihr suchte, kümmerte sie sich auch den Rest des Urlaubs über nicht mehr um ihn. Vielleicht war es so das Beste gewesen, denn schließlich war sie ja wirklich noch unschuldig. Damals, vor zwei Jahren, hatte sie noch keine Ahnung gehabt, was sie eigentlich tun sollte.

Doch wenn sie nun an ihn dachte, erinnerte sie sich nur zu gut, wie seine Hand auf ihrer Haut gebrannt hatte. Und während sie sich Devon näherten und die Landschaft an ihrem Wagen vorbeiflog, fragte sie sich, ob vielleicht auf dem Heuboden immer noch Stroh und Heu lag ...

George hatte Vorbehalte Yulian gegenüber. Anne mochte sagen, was sie wollte, daran änderte sie nichts. Der Junge war tatsächlich eigenartig, und zwar in mehrfacher Hinsicht. Es lag nicht nur an dieser Herumschleicherei und Heimlichtuerei, obwohl ihn das durchaus störte. Aber er wirkte irgendwie krank. Nicht körperlich und auch nicht geistig, aber doch eben – krank. Wenn man ihn manchmal ansah, ihn aus dem Augenwinkel heimlich beobachtete, war das, als werde eine Kakerlake vom plötzlich eingeschalteten Licht überrascht. Oder eine Qualle wurde von einer Welle am Strand zurückgelassen. Man spürte deutlich, wie etwas in ihm brodelte. Doch wenn es weder physisch noch mental war, sondern beide Ebenen umfaßte, woran zum Teufel lag es dann?

Schwer zu erklären. Lag es auch an seiner Seele? Aber von Seelen hielt George nicht allzu viel. Er war kein Atheist, wollte aber Beweise sehen. Vielleicht würde er angesichts des Todes beten, für alle Fälle, doch bis dahin ...

Was die Schule betraf und Annes Anmerkungen: Nun ja, richtig war das schon! Yulian hatte alle Prüfungen verfrüht abgelegt und jede einzelne bestanden, doch das war nicht der Grund gewesen, aus dem er die Schule verließ. George kannte einen Zeichner, Ian Jones, der in seinem Londoner Büro arbeitete, und dessen Sohn hatte die gleiche Schule besucht. Anne wollte nichts davon wissen, sicher, aber es waren wilde Geschichten in Umlauf. Yulian habe einen männlichen Lehrer »verführt«, der ohnehin bi gewesen war, und dessen Homosexualität er voll zum Durchbruch brachte. Sobald er einmal auf diesem Trip war, sei er mehr oder weniger auf alles gesprungen, was sich bewegte und männlich war. Und Yulian sei daran schuld gewesen. Das war das eine Gerücht. Und dann: Im Zeichenunterricht habe Yulian Bilder gefertigt, die eine ansonsten ausgesprochen sanfte und liebe Lehrerin dazu brachten, ihn tatsächlich zu schlagen. Sie sei sogar so weit gegangen, in sein Zimmer zu stürmen und seine gesammelten Bilder zu verbrennen. Auf einer Exkursion draußen in der Natur (George hatte gar nicht gewußt, daß so etwas noch üblich war), habe man ihn allein und verwirrt vorgefunden, Gesicht und Hände mit Schmutz und Innereien verklebt. In einer Hand habe er die ausgeweideten Überreste einer Katze getragen, die sogar noch warm gewesen seien. Er habe wohl behauptet, es sei ein Mann gewesen, der das angerichtet hatte, doch es hatte sich draußen im Moor abgespielt, fern von aller Zivilisation ...

Und das war nicht alles gewesen. Wie es schien, schlafwandelte er und hatte dabei die jüngeren Buben total erschreckt, bis die Schule dazu übergegangen war, eine Nachtwache in den Schlafsälen aufzustellen. Zu dieser Zeit hatte sich der Rektor allerdings bereits ausführlich mit Georgina unterhalten, und sie hatte zugestimmt, daß Yulian die Schule verlassen sollte. Entweder das, oder er wäre ausgeschlossen worden, um den guten Ruf der Schule nicht zu gefährden.

Zum Teil lag es an solchem Gerede, daß George Yulian nicht leiden konnte. Aber natürlich gab es da noch etwas, was beinahe so alt war wie Yulian selbst: den Anblick eines altes Mannes, die Hände in seine Bettdecke verkrampft, der im Sterben noch flüsterte: »Das taufen? Nein, nein – das dürft ihr nicht! Ihr müßt es zuerst exorzieren!«

Anne konnte wohl durchaus heftig werden, aber sie war trotzdem durch und durch eine gute Frau. Sie würde niemals jemanden bewußt verletzen und dachte sich lieber ihren Teil. Im Inneren, aber wirklich nur im Inneren, hegte auch sie ihre Vorbehalte Yulian gegenüber.

Nun lehnte sie sich bequem in ihren Sitz zurück, genoß den kühlenden Fahrtwind vom halb geöffneten Fenster her und dachte ebenfalls über Yulian nach. Komische Dinge kamen ihr in den Sinn: etwas von einem großen, grünen Frosch, und dazu der Schmerz, den sie von Zeit zu Zeit in ihrer linken Brustwarze spürte.

Es fiel ihr schwer, sich auf die Sache mit dem Frosch zu konzentrieren, was an ihrem inneren Widerstand lag. Sie konnte normalerweise keiner Fliege etwas zuleide tun. Natürlich wußte ein Kind von nur fünf Jahren nicht recht, was es anrichtete. Oder? Das Problem war nur, daß Yulian, so lange sie ihn kannte, immer den Eindruck erweckt hatte, er wisse genau, was er tat. Sogar als Baby.

Sie hatte von ihm als einem »lustigen kleinen Ding« gesprochen, doch eigentlich mußte sie George recht geben. Yulian war alles andere als »lustig« gewesen. Zum einen weinte er niemals. Nein, das stimmte nicht ganz, denn er weinte, wenn er Hunger hatte, zumindest damals, als er noch sehr klein gewesen war. Und er hatte geweint, wenn er dem direkten Sonnenschein ausgesetzt worden war. Eine Photophobie offensichtlich, bereits vom Babyalter an. Oh ja, und wenigstens ein weiteres Mal hatte er geweint: bei seiner Taufe. Obwohl das eher wie ein Wutanfall gewirkt hatte – oder Empörung – als richtiges Weinen. Soweit Anne wußte, war er anschließend nie mehr ordnungsgemäß getauft worden.

Sie ließ sich von ihren Gedanken in die Vergangenheit tragen. Yulian hatte gerade zu laufen begonnen, als Helen geboren wurde. Das war etwa einen Monat, bevor Georgina als geheilt entlassen wurde und den Jungen mit nach Hause nahm. Anne erinnerte sich nur zu gut an alles. Sie war dick wie eine Tonne gewesen, die Brüste schwer von all der Milch, und sie hatte sich wohler gefühlt als je zuvor in ihrem Leben: ein Musterbeispiel für eine gesunde junge Mutter.

Eines Tages – Helen war gerade sechs Wochen alt – stillte sie ihr Baby, als Yulian hereinwatschelte, offensichtlich auf der Suche nach etwas mehr Zuwendung. Er war damals schon eifersüchtig gewesen, denn nun stand er nicht mehr allein im Mittelpunkt. Aus einem plötzlichen Einfall heraus, vielleicht auch aus Mitleid, hatte sie ihn auf den freien Arm genommen, ihre linke Brust ebenfalls freigemacht, und stillte nun beide nebeneinander.

Schon bei der bloßen Erinnerung daran fühlte sie wieder den heftigen Schmerz in ihrer Brustwarze. Es war wie ein Wespenstich. »Ooh!« ächzte sie jetzt im Halbschlaf.

»Ist etwas?« fragte George aufmerksam. »Dreh doch dein Fenster noch ein bißchen herunter, damit du mehr frische Luft bekommst.«

Das stetige Brummen des Motors brachte sie in die Wirklichkeit zurück. »Ein Krampf«, log sie. »Sticht wie sonstwas! Können wir nicht irgendwo anhalten – vielleicht an der nächsten Raststätte?«

»Klar«, ging er darauf ein. »Wir müßten sowieso bald an einer vorbeikommen.«

Anne ließ sich wieder zurücksinken und kehrte ein wenig zögernd zu ihren Erinnerungen zurück. Sie hatte Yulian gestillt ... Sie war dabei leicht eingenickt – Helen an der rechten und Yulian an der linken Brust. Es war ein eigenartiges Gefühl gewesen, diese plötzliche Schläfrigkeit, diese Lethargie, der sie nicht widerstehen konnte. Doch dann, als der Schmerz sie durchzuckte, war sie hellwach. Helen hatte geweint, und Yulians Mund war – blutverschmiert gewesen!

Sie hatte wie unter Schock den kleinen Burschen angesehen. Der Blick aus Yulians eigenartig schimmernden schwarzen Augen war starr auf sie gerichtet, und sein roter Mund hatte sich wie ein Pilotfisch an ihre Brust geheftet. Milch und Blut war ihr über die Brust gelaufen, und sein Gesicht war damit verschmiert und glänzte rot. Er wirkte wie ein vollgesaugter Blutegel mit schwarzen Augen.

Als sie sich und Yulian abgewaschen hatte, waren deutlich kleine Löcher zu sehen, wo Yulians winzige Zähnchen ihre Haut um die Brustwarze herum durchdrungen hatten. Es hatte lange gedauert, bis diese Wunden verheilt waren, doch der Schmerz war bis heute nicht vergessen.

Und dann die Sache mit dem Frosch. Anne hatte keine Lust, sich noch einmal damit zu beschäftigen, aber die Bilder stiegen ungewollt in ihr hoch, und sie konnte sie nicht verdrängen. Es war passiert, als

Georgina ihre Londoner Wohnung verkauft hatte, einen Tag vor ihrem und Yulians Umzug in das alte Haus in Devon.

Als Helen ein Jahr alt war, hatte George im Garten ihres Hauses in Greenford einen Teich angelegt. Ohne großes Eingreifen der Menschen hatte sich dort bald ein richtiges Biotop entwickelt. Schilf wuchs am Rand, Wasserlilien schwammen an der stillen Oberfläche, ein kleiner Strauch neigte sich über das Wasser und eine Spezies großer, grüner Frösche hatte den Teich zu seiner Heimstatt erkoren. Es gab auch Wasserschnecken, und am Uferrand bildete sich gelegentlich eine dünne, grüne Schleimschicht. Als das betrachtete Anne diese Erscheinung jedenfalls. Im Hochsommer waren meist Libellen zu sehen, aber in diesem Jahr hatte Anne nur ein- oder zweimal welche beobachtet, noch dazu sehr kleine.

Sie hatte mit den Kindern im Garten gesessen und zugesehen, wie Yulian mit einem weichen Gummiball gespielt hatte. Nun, vielleicht war »spielen« die falsche Bezeichnung dafür, denn Yulian hatte Schwierigkeiten damit, wie andere Kinder zu spielen. Er schien eine klare Meinung zu vertreten: Ein Ball ist ein Ball, einfach eine Gummikugel. Lasse ihn fallen, und er springt hoch, werfe ihn gegen eine Wand, und er kommt zu dir zurück. Darüberhinaus hat er keinen praktischen Wert; er kann das Interesse nicht lange fesseln. Andere würden darüber streiten, aber so dachte Yulian nun einmal. Anne wußte eigentlich gar nicht, warum sie ihm den Ball gekauft hatte. Er hatte noch nie wirklich mit etwas gespielt. Nun gut, er hatte ihn tatsächlich zweimal aufspringen lassen und einmal an die Mauer geworfen. Und dann war er hinüber an den Rand des Teiches gerollt.

Yulian hatte ein wenig verächtlich hinterhergeschaut, doch mit einem Mal schien sein Interesse zu erwachen. Am Ufer des kleinen Tümpels war etwas hochgehüpft: ein großer, leuchtend grüner Frosch, der mit pulsierendem Kehlsack dasaß, zwei Füße im Wasser und zwei auf dem Trockenen. Und das fünfjährige Kind erstarrte, stand regungslos da wie eine Katze, wenn sie eine Beute erspäht hat. Es war Helen, die hinrannte und den Ball zurückholte. Während sie mit ihm weiter in den Garten hinein hüpfte, hatte Yulian nur Augen für den Frosch.

Genau in diesem Augenblick hatte George von drinnen gerufen. Das

Kebab brannte offensichtlich an. Anne hatte nämlich ein Abschiedsessen für Georgina auf dem Herd, und George sollte eigentlich den Küchenmeister spielen.

Also war Anne hineingeeilt, um den Tag zu retten. Sie hatte ein, zwei Minuten gebraucht, um das dampfende Fleisch vom Grill zu holen und nach draußen zum Tisch zu bringen. Dann war Georgina auf ihre traumhafte Ich-komm-schon-irgendwann-mal-Art die Treppe heruntergekommen, während George mit seinen Gewürzen im Garten erschien.

»Tut mir leid, Schatz«, hatte er sich entschuldigt. »Ich bin ein bißchen aus der Übung. Aber jetzt habe ich es soweit fertig. Alles in Ordnung!«

Aber es war keineswegs alles in Ordnung.

Als sie Helens Aufschrei vom hinteren Teil des Gartens her hörte, rannte Anne atemlos dorthin.

Sie kam zum Teich und ihr war zuerst überhaupt nicht bewußt, was sie da sah. Sie glaubte, Yulian sei gestürzt und mit dem Gesicht in die grüne Brühe am Rand des Teichs gefallen. Dann klärte sich ihr Blick, und das Bild, das sie nun wahrnahm, brannte sich in ihr Hirn ein und war nach wie vor unvergessen: Die kleinen weißen Mosaiksteinchen an der Umrandung des Teichs waren blutverschmiert, genauso wie Yulians Gesicht und Hände.

Er saß mit übergeschlagenen Beinen wie ein kleiner Buddha am Ufer, hielt den Frosch wie eine zerrissene grüne Plastikhülle in den unerfahrenen Händen und machte an den Innereien herum. Und dieses – unschuldige? – Kind studierte diese Innereien gründlichst, roch daran, *lauschte hinein* und war offenbar erstaunt darüber, wie kompliziert doch das alles sei.

Dann schwebte seine Mutter von hinten heran und säuselte: »Oh je, oh je! Hat das gelebt? Ach, ich weiß, was es war. Das macht er manchmal. Öffnet Sachen. Nur Neugier. Um zu sehen, wie es funktioniert.«

Anne schnappte sich erschrocken und blaß die weinende Helen und wandte sich angeekelt ab. »Aber, Georgina«, entfuhr es ihr, »das ist kein alter Wecker oder so – das ist ein Frosch!«

»Ja, tatsächlich? Oh je. Armes Ding!« Sie wedelte mit den Händen herum. »Es ist halt eine Entwicklungsphase bei ihm. Er kommt schon darüber hinweg ...« Anne erinnerte sich daran, was sie zweifelnd und verzweifelt gedacht hatte: *Hoffentlich!*

»Devon!« verkündete George triumphierend und stieß sie mit dem Ellbogen an. »Hast du das Schild gesehen? Und schau mal – da ist deine Raststätte! Tee mit Sahne, Kuchen, alles ... Wir parken, essen und trinken etwas, und dann geht's auf die letzte Etappe. Ruhe und Frieden, eine ganze Woche lang. Meine Herren, das haben wir alle nötig!«

Als sie von der Straße nach Paignton abbogen, warteten Georgina und Yulian bereits auf dem Kiesweg vor dem Haus auf sie. Auf den ersten Blick übersahen sie Georgina beinahe, denn ihr Sohn war die absolut beherrschende Figur. Als George den Motor abstellte, stand Helen der Mund offen, und Anne starrte Yulian mit weit aufgerissenen Augen an. George dachte: *Yulian? Ja, natürlich ist er das! Aber welche Veränderung!*

Sie stiegen aus und Anne sprach das aus, was George dachte: »Yulian! Mein Gott, wie diese zwei Jahre dich verändert haben!« Er umarmte sie kurz – mittlerweile ein ganzes Stück größer als sie – und wandte sich Helen zu, die sich nach dem Aussteigen erst einmal streckte.

»Ich bin nicht der einzige, der gewachsen ist«, bemerkte er. Seine Stimme klang ebenso dunkel wie damals auf den Heuboden. Anscheinend war das nun seine endgültige Stimmlage. Er hielt Helen mit ausgestreckten Armen fest und sah sie mit diesem unergründlichen Blick an.

Er ist ein verdammt gut aussehender Teufel! dachte Helen. Nun ja, »gut aussehend« stimmte vielleicht nicht so ganz. Attraktiv – ja, das kam hin. Beinahe unnatürlich attraktiv sogar. Ein langes, kräftiges Kinn, hohe Stirn, eine gerade, etwas platte Nase, und dann diese Augen: das Gesicht hätte bei jedem anderen eigenartig gewirkt. Aber dazu diese Stimme, und Yulians Geist und Persönlichkeit dahinter – alles zusammen war einfach umwerfend! Er sah ein wenig wie ein Ausländer aus, und die nach hinten gekämmte, fliegende Haarmähne verlieh ihm ein beinahe wölfisches Flair. Ja, das war es: ein Wolf in Menschengestalt. Und dazu war er auch noch hochgewachsen wie ein junger Baum.

»Du bist ja immer noch so schlank«, brachte Helen schließlich lahm heraus. »Füttert dich denn Tante Georgina nicht?« Das »Füttern« rutschte ihr nur so heraus, als sie ihn mit einem Wolf verglich.

Er lächelte nur und wandte sich George zu, nickte und streckte die Hand aus.

»George! Hattet ihr eine gute Fahrt? Wir hatten uns schon Sorgen gemacht – hier draußen ist soviel Verkehr während der Ferienmonate!«

George! Innerlich stöhnte der Angesprochene auf. *Redet mich mit dem Vornamen an, wie bei seiner Mutter!*

»Die Fahrt verlief ganz glatt.« George lächelte gezwungen und bemühte sich, Yulian unauffällig zu taxieren. Der junge Mann war fast einen Kopf größer als er. Und mit diesem Haarschopf wirkte er noch größer. Siebzehn, und schon ein großgewachsener Mann. Starke Knochen. Wenn er noch Gewicht zulegte, wurde er zum Kleiderschrank. Sein Händedruck war auch eisern. Die Handgelenke waren sehr kräftig, obwohl er so lange, schlanke Finger hatte.

George war sich auf einmal seines dünnes Haares bewußt, seines Bäuchleins, seines molligen Aussehens. *Na, wenigstens kann ich in die Sonne gehen!* dachte er.

An Yulians Blässe hatte sich nämlich nichts geändert. Sogar hier draußen hatte er sich in den Schatten des Hauses gestellt, war selbst wie ein Teil dieses Schattens.

Doch wenn sich die letzten beiden Jahre auf Yulian so positiv ausgewirkt hatten, waren sie seiner Mutter gegenüber nicht so gnädig gewesen.

»Georgina!« Anne hatte sich mittlerweile ihrer Cousine zugewandt und umarmte sie. Dabei spürte sie, wie zittrig und gebrechlich Georgina wirkte. Der Tod ihres Mannes vor achtzehn Jahren forderte immer noch seinen Tribut. »Und ... und wie gut du aussiehst!«

Lügnerin! dachte George – er konnte nicht anders. *Gut? Sie sieht aus wie ein Uhrwerk, das beinahe abgelaufen ist!*

Georgina wirkte tatsächlich wie ein Automat. Sie bewegte sich und sprach wie programmiert. »Anne, George, Helen – es ist so schön, euch wiederzusehen! Ich freue mich, daß ihr Yulians Einladung gefolgt seid. Aber kommt doch herein! Ratet mal, was wir für euch haben! Tee mit Sahne, jawohl!«

Sie führte die anderen hinein, schwebte ihnen leicht wie eine Feder voran und bewegte sich dennoch wie ein Automat. An der Tür blieb Yulian einen Moment lang stehen und wandte sich um. »Ja, tretet ein, seid willkommen und fühlt euch wie zu Hause.« So rituell, wie er das sagte, klang es eigentümlich. Als George, der den Abschluß machte, an ihm vorbeigehen wollte, fragte Yulian: »Kann ich euer Gepäck hereinbringen?«

»Dankeschön«, sagte George überrascht. »Warte, ich helfe dir.«

»Nicht notwendig«, sagte Yulian lächelnd. »Gib mir nur die Schlüssel.« Er öffnete den Kofferraum und hob ihre Gepäckstücke heraus, als seien sie leer und federleicht. Und das war nicht bloß Angeberei, wie George beobachtete. Yulian war sehr kräftig.

Als er ihm ins Haus nachschritt, wobei er sich ein wenig nutzlos vorkam, blieb George stehen, denn ein warnendes Grollen erklang aus einer offenen Garderobe in einer Nische an der einen Seite des Foyers. Im tiefsten Schatten hinter einem dunklen, eichenen Kleiderständer rührte sich etwas, das so schwarz war wie die Sünde, und das gelbe, glimmende Augen aufwies. George sah genauer hin und fragte: »Was zum ...?« Das Grollen wurde lauter.

Yulian, der bereits halbwegs an der Treppe war, drehte sich um und blickte herüber. »Oh, laß dich von ihm nicht einschüchtern, George. Er klingt viel schlimmer, als er ist, versichere ich dir.« Und im harten Kommandoton: »Komm, Junge, komm ins Licht, damit wir dich sehen können!«

Ein schwarzer Schäferhund, fast ausgewachsen (war dieses Monster etwa Yulians Welpe von damals?), schlich vorsichtig aus der Nische und fletsche noch einmal die Zähne, als er an George vorbeikam. Der Hund ging geradewegs zu Yulian und stellte sich erwartungsvoll vor ihn. George fiel auf, daß er nicht mit dem Schwanz wedelte.

»Ist schon gut, alter Freund«, murmelte der junge Mann. »Zieh dich nicht so zurück.« Daraufhin schritt das bösartig wirkende Vieh gelassen in den Wohnbereich hinein.

»Meine Güte!« sagte George. »Ein Glück, daß er gut dressiert ist! Wie heißt er?«

»Wlad«, antwortete Yulian wie aus der Pistole geschossen, während er sich mit all dem Gepäck in Händen abwandte. »Ich glaube, das ist rumänisch. Heißt wohl Prinz oder so ähnlich. Jedenfalls früher mal ...«

Die folgenden zwei oder drei Tage sahen sie nicht viel von Yulian. Das störte George nicht im geringsten, im Gegenteil, er war erleichtert. Und Anne fand es eigenartig. Nur Helen, die glaubte, er wolle sie meiden, ärgerte sich darüber, zeigte ihre Gefühle jedoch nicht.

»Was fängt er den ganzen Tag allein an?« fragte Anne Georgina, als sie sich eines Morgens zu zweit unterhielten.

Georginas Augen hatten jeden Glanz früherer Tage verloren, doch bei der Erwähnung Yulians glänzten sie mit einem Mal verblüffend hell und intensiv. »Oh, er hat so seine Interessen ...« Dann bemühte sie sich sofort, das Thema zu wechseln. Ihre Worte überschlugen sich geradezu: »Wir überlegen, ob wir die alten Ställe nicht abreißen lassen sollten. Darunter liegen ausgedehnte alte Gewölbe – Keller, auch die Weinkeller meines Großvaters – und Yulian fürchtet, die Decken könnten eines Tages unter der Last der Stallungen einbrechen. Wenn sie abgerissen sind, können wir die Naturbausteine sogar noch verkaufen. Sie sind in gutem Zustand und bringen sicher einen anständigen Preis.«

»Gewölbekeller? Davon wußte ich gar nichts. Und Yulian geht dort hinunter?«

»Um ihren Zustand zu überprüfen«, sprudelte es wieder aus ihr hervor. »Er macht sich über die Instandhaltung Gedanken ... weil sie einstürzen könnten ... das Haus wäre nicht mehr sicher ... nur alte Kellergänge und ein paar Gewölbe an den Seiten. Ist alles verkrustet und voller vermoderter Weinregale ... Mäuse, Spinnen ... nichts Interessantes.«

Anne bemerkte, daß Georgina offensichtlich erregt war, stand auf, ging zu ihr hin und legte ihr beruhigend eine Hand auf die magere Schulter. Die ältere Frau reagierte, als sei sie geschlagen worden und zuckte vor Anne zurück. Plötzlich war ihr Blick einen Moment lang ganz klar. »Anne«, flüsterte sie heiser, »stelle keine Fragen über diese alten Gewölbe. Und gehe *niemals* dort hinunter! Es ist ... nicht sicher da unten ...«

Die Lakes waren am dritten Donnerstag im August aus London hergekommen. Es war ausgesprochen heiß, und es gab kein Anzeichen für ein Nachlassen der Hitze.

Am Montag fuhren Anne und Helen ein paar Kilometer weiter nach Paignton, um sich Strohhüte zu kaufen. Georgina machte ihren Mittagsschlaf und von Yulian war nichts zu sehen.

George erinnerte sich daran, daß Anne Weinkeller unter dem Haus und dem Gelände erwähnt hatte. Da er nichts Besseres zu tun hatte, schlenderte er um das Haus herum und kam an einen aus Stein erbauten, festen Schuppen, den er bisher für eine außengelegene alte Toilette gehalten hatte. Ungepflegte Sträucher wucherten um das Häuschen herum. Die Tür hing schief an verrosteten Angeln, aber George zog sie dennoch ein Stück weit auf. Schon als er sich hineinquetschte, wurde ihm klar, daß es sich um den Eingang zu diesen Kellergewölben handeln mußte. Schmale Steinstufen führten zu beiden Seiten einer Rampe – wohl für das Rollen von Weinfässern angelegt – zu einer weiteren Tür hinab. Als er sie unter lautem Quietschen öffnete, wurde er von Wlad überrascht.

Der Hund steckte seine Schnauze von innen her durch den Türspalt, kaum daß George ihn geöffnet hatte. Einen Sekundenbruchteil früher bereits erklang sein wütendes Knurren und Grollen, doch das war die einzige Warnung, die George noch erhielt. Zu Tode erschrocken riß er seine Hände zurück. Das ernorm kräftige Gebiß des Schäferhunds schloß sich um den Türknopf, wo sich Georges Hände gerade noch befunden hatten. Mit hämmerndem Herz drückte George gegen die Tür und schloß sie wieder. Er hatte die haßerfüllten Augen des Tiers gesehen, und das reichte ihm.

Aber warum befand sich Wlad hier unten? Die Vermutung lag nahe, daß ihn Yulian hier eingesperrt hatte, solange der Besuch da war. Das wäre allerdings eine weise Maßnahme, so bissig, wie ihm der Hund erschien. Oder war etwa Yulian auch unten bei ihm? Nun, George konnte sehr wohl ohne die beiden auskommen.

Seelisch leicht angeschlagen, verließ er den Garten und schlenderte die Straße entlang zu einer alten Gastwirtschaft, die genau an der nächsten Kreuzung lag. Auf dem Weg an Feldern und Hecken entlang, umgeben vom Summen der Insekten und dem Gesang der Vögel, erholte er sich wieder von seinem Schreck. Als er die Gaststätte erreichte, hatte ihn die Hitze so durstig gemacht, daß er einkehrte und sich ein großes Bier bestellte.

Er war eine Weile nur mit sich selbst beschäftigt und saß gedankenverloren an seinem Tisch, bis er auf eine leise geführte Unterhaltung zweier älterer Männer am Nebentisch aufmerksam wurde und die Ohren spitzte. Er hatte nämlich das Wort »Harkley« aufgeschnappt, und Georginas Wohnsitz hieß nach alter Herrenhausmanier »Harkley House«.

»Also schon wieder der da oben, ja? N' komischer Kerl, wie man so sagt.«

»Nee, gibt ja auch keinen Beweis, aber zusammen gesehen hat man sie. Und jetzt ist sie vom Sharkham Point runter, die Kleine! Schrecklich!«

Offensichtlich eine lokale Tragödie, dachte George. Sharkham Point war eine hohe, steile Klippe, die sich ganz in der Nähe wie ein Finger ins Meer schob. Er wandte sich wieder seinem Bier zu, lauschte aber doch weiterhin. Der eine der beiden Alten war mager und hatte ein Wieselgesicht, während bei dem anderen ein stark gerötetes Gesicht über einem fetten Körper thronte. Es war der Dicke, der offensichtlich den Dorfklatsch weitertrug.

Nun fuhr er fort: »Natürlich schwanger.«

»Was, schwanger?« Der Dünne schnappte nach Luft. »Und von ihm, glaubst du?«

»Ich glaub gar nix«, widersprach der Dicke. »Keine Beweise. Und außerdem war sie sowieso ein geiles Luder. Aber so jung ... Ist schon schade!«

»Hast recht«, stimmte ihm der mit dem Wieselgesicht zu. »Aber da so einfach runterzuspringen! Wieso hat sie das getan, was denkst du? Unverheiratet schwanger werden ist doch heutzutage kein großes Problem mehr!«

Aus dem Augenwinkel bemerkte George, wie sich der Dicke noch weiter zu seinem Freund hinüberbeugte. Ihre Stimmen wurden leiser, und er mußte sich anstrengen, um das meiste mitzubekommen.

»Schätze«, raunte der Dicke, »die Natur hat ihr gesagt, daß es nicht richtig ist, sowas zur Welt zu bringen! Oder so ähnlich. Die arme Kleine.«

»S'wär nicht richtig? Hat man sie denn aufgeschnitten?«

»Oh, ja, hat man! S'war nämlich Ebbe zu der Zeit, und das hat sie gewußt. Sie wollte nicht ins Wasser. Ist direkt auf die Felsen geknallt! Wollte sicher gehen. Das muß jetzt aber unter uns bleiben! Meine Mary arbeitet doch im Krankenhaus, weißt du ja. Sie hat erzählt, als sie die Kleine reinbrachten, war sie mausetot. Aber sie haben ihren Bauch abgehört, und das da drin hat sich noch gerührt, hat sogar getreten!«

Nach einem Augenblick des Wartens: »Das Kind?«

»Ja was denn sonst, alter Narr! Also haben sie die Kleine aufgeschnitten. Es muß schrecklich gewesen sein. Nur eine Handvoll Leute weiß Bescheid. Also, der Doktor hat sich die Bescherung angeschaut und gleich 'ne Spritze reingejagt. Aus und vorbei und in einen Plastiksack und in die Verbrennung. Das war's.«

»Mißgestaltet?« Der Dünne nickte. »Kommt ja öfters mal vor.«

»Na ja, mißgestaltet ist vielleicht der falsche Ausdruck ... überhaupt nicht gestaltet, würde ich sagen!« informierte ihn sein Tischnachbar. »S'war – wie hat meine Mary gesagt? – wie ein riesiger Tumor in ihr drin! So'ne Art Fleischklumpen mit Fasern dran. Aber schon ein Kind ... auch 'ne Nachgeburt da und was sonst dazugehört! Meine Mary hat gemeint, da waren Augen, die nicht dort hingehörten, und Zähne, und es muß grausig gewimmert haben, als Licht darauf fiel!«

George trank aus, bezahlt hatte er schon zuvor, stand auf und ging hinaus in die Hitze des Nachmittags, die ihm wie eine Wand entgegenschlug. Er hatte definitiv genug gehört.

Auf halbem Weg zurück hielt plötzlich sein Wagen neben ihm an und Anne rief: »Steig hinten ein!« Sie trug einen Strohhut mit einem breiten schwarzen Band, das einen perfekten Kontrast zu ihrem hellen Sommerkleid bot. Helen, die auf dem Beifahrersitz saß, hatte denselben Hut auf, nur mit einem roten Band. »Wie gefällt dir das?«

Anne lachte, als sich George auf den Rücksitz fallen ließ und die Tür zuschlug. Mutter und Tochter reckten die Hälse und zeigten kokett ihre neuen Hüte. »Wie Dorfschönheiten, die einen Ausflug machen, ja?«

»In dieser Gegend«, antwortete George düster, »müssen die Dorfschönheiten sehr vorsichtig sein mit dem, was sie unternehmen.« Doch er erklärte nicht, worauf er anspielte, und er hätte sowieso Harkley nicht im gleichen Atemzug mit jener Geschichte erwähnt, die er im Gasthaus belauscht hatte. Er nahm zur Sicherheit an, er habe den Anfang des Gesprächs nicht richtig verstanden oder falsch interpretiert. Allerdings wurde er den Rest des Tages über die bedrückende Erinnerung einfach nicht los.

Am nächsten Morgen – es war Dienstag – stand George spät auf. Anne hatte ihm angeboten, im Bett zu frühstücken, doch er hatte abgelehnt und war wieder eingeschlafen. Als er sich um zehn aufrappelte, war es still im Haus. So bereitete er sich ein kleines Frühstück, das ihm aber nicht schmecken wollte, und danach fand er im Wohnzimmer Annes Zettel:

Liebling,
Yulian und Helen machen einen Spaziergang mit Wlad. Ich fahre mit Georgina ins Dorf und kaufe ihr etwas Hübsches. Wir sind zum Mittagessen zurück.
Anne

George seufzte frustriert und kaute verärgert auf seiner Unterlippe herum. Heute morgen hatte er sich aus reiner Neugier in diesen Kellergewölben umsehen wollen. Yulian hätte sie ihm durchaus zeigen können. Und was den Rest des Tages betraf, hätte er die Frauen gern zum Strand nach Salcombe gefahren. Ein Tag am Strand könnte vor allem Georgina gut tun. Und Helen hatte zuletzt ein wenig blaß gewirkt – auch für sie wäre die salzige Seeluft bestimmt gesund gewesen. Es sah Anne ähnlich, daß sie alle wie ein Taxifahrer herumkutschierte, kaum daß sie aus London weg waren!

Nun ja, vielleicht konnten sie wenigstens am Nachmittag ans Meer fahren. Aber was sollte er nun mit dem ganzen Vormittag anfangen? Ein Spaziergang nach Paignton, in die Altstadt und zum Hafen? Der

Weg war recht weit, wenn er natürlich unterwegs auch einkehren konnte. Und wenn es ein bißchen zu spät wurde, konnte er immer noch mit dem Taxi zurückfahren.

Also ging er kurz entschlossen los. Sein Fernglas nahm er mit. Unterwegs blickte er öfters nach dem etwas weiter weg gelegenen Brixham jenseits der Bucht hinüber, in dessen Nähe jene Klippe lag ...

Er kam mit dem Taxi gegen halb Eins zurück und ließ den Fahrer schon an der Einfahrt nach Harkley anhalten. Mit sich und der Welt zufrieden – er hatte den langen Spaziergang genossen und kam nun genau zur richtigen Zeit zum Mittagessen nach Hause – schlenderte er den sich bis zum Haus windenen Kiesweg entlang, vorbei an dem Hain, wo Buchen, Birken und Erlen sich dicht aneinander drängten, von einer einzeln stehenden, mächtigen Zeder überragt, und stand mit einem Mal vor seinem achtlos abgestellten Auto. Die Vordertüren standen offen und der Zündschlüssel steckte. George sah leicht irritiert den Wagen an und drehte sich dann langsam im Kreis, um die Umgebung zu mustern.

Wie ein Märchenwald wurde der Hain von einem einst eleganten, weißen, dreistrebigen Zaun umgeben, und durch sein Zentrum schlängelte sich ein überwachsener Pfad in eng verschlungenen Windungen. Der Zaun stand nun schief und war an den meisten Stellen nicht mehr weiß. Wild wucherndes Gestrüpp wuchs zu beiden Seiten. George spähte in das Dickicht hinein, konnte aber niemanden entdecken. Hohes Gras und Brombeersträucher, die herausstehenden Spitzen der Zaunpfähle, Bäume ... Und etwas Großes, Schwarzes, das sich durch das Unterholz schob. Wlad?

Es mochte durchaus sein, daß Anne, Helen, Georgina und Yulian im Hain spazierengingen. Unter den Bäumen war es bestimmt kühl und schattig.

Sollten sich nur Yulian und der Hund dort aufhalten, oder der verdammte Köter allein ... Mit einem Mal wurde George bewußt, daß er den einen wie den anderen fürchtete. Ja, er fürchtete sich vor ihnen. Yulian war anders als jeder andere, den er kannte, und der Hund war anders als jeder andere Hund seiner Erfahrung. Mit beiden stimmte etwas nicht. Und George lief ein Schauder den Rücken hinab. Er zitterte vor Kälte – und das an diesem heißen, ruhigen Sommertag.

Dann riß er sich zusammen. Angst? Und das vor einem nicht ganz normalen, übergroßen Jüngling und einem blöden Hund? Lächerlich!

Er rief laut: »Hallooooo!«, erhielt jedoch keine Antwort.

In seiner Verärgerung schwand seine vorher noch so gute Laune rapide, und er eilte zum Haus. Drinnen ... auch niemand!

Er lief durch das ganze alte Haus, knallte die Türen zu und stieg schließlich hinauf zu seinem und Annes Schlafzimmer. Wo zum Teufel waren sie alle? Und wieso hatte Anne das Auto offen stehenlassen? Sollte er den ganzen verdammten Tag allein verbringen?

Vom Schlafzimmerfenster aus konnte er fast das gesamte Grundstück – soweit es vor dem Haus lag – bis hin zum Tor überblicken. Natürlich versperrten die Scheune und die Stallgebäude zum Teil den Blick auf den Hain, aber ...

George wurde plötzlich auf einen Farbfleck gleich außerhalb der Umzäunung des Hains aufmerksam. Er blickte neugierig hin, wobei er mit gerecktem Hals an dem Giebel der alten Scheune vorbeispähen mußte. Er konnte es nicht genau erkennen. Dann dachte er an das Fernglas, das noch immer an der Lederschnur um seinen Hals hing. Er nahm es hoch und stellte den Fokus ein.

Immer noch war der Giebel im Weg. Er sah den Farbfleck wohl, aber unscharf. War es ein Kleid? Und davor bewegte sich etwas Rosa- oder Fleischfarbenes. Bewegte sich unablässig. Mit viel zu ungeduldigen Bewegungen stellte George das Objektiv neu ein und erhielt endlich ein scharfes Bild. Der Farbfleck – ja, es war ein buntes Sommerkleid. Und das davor war nicht nur fleischfarben – es war Haut, nackte Haut.

George betrachtete ungläubig die Szene, die sich da abspielte. Sie lagen im Gras. Er konnte Helen nicht erkennen, jedenfalls ihr Gesicht nicht, denn sie kniete im Gras, den Hintern hochgestreckt, das Gesicht dahinter verborgen. Und Yulian hatte sie bestiegen, stieß voller Wucht, voller Leidenschaft in sie hinein, hielt sie mit den Händen an der Hüfte fest.

George begann unkontrolliert zu zittern. Helen ließ das offensichtlich willig über sich ergehen, das war klar. Und er hatte immer gesagt, sie sei erwachsen – doch um Himmels Willen, es gab da doch eine Grenze!

Und da kniete sie, das Gesicht im Gras, nackt wie ein Baby – Georges Baby! – hatte Strohhut und Kleid weggeworfen und ihm ihren rosa Körper geöffnet ... diesem ... diesem schleimigen Kerl!

George hatte keine Angst mehr vor Yulian, falls er die jemals gehabt hatte, nein, er haßte ihn! Dieser verdrehte, schleimige Bastard würde noch ein ganzes Stück schlimmer aussehen, wenn er mit ihm fertig war!

Er riß sich das Fernglas vom Hals, warf es auf das Bett, wandte sich zur Tür – und erstarrte plötzlich, als seine Muskeln ihm den Dienst versagten. Seine Kinnlade klappte herunter. Etwas an dem, was er beobachtet hatte, durchfuhr ihn in fiebriger Dringlichkeit. Mit tauben Händen griff er noch einmal zum Fernglas und richtete es erneut auf das Paar im hohen Gras. Yulian war fertig und lag ausgestreckt neben seiner Partnerin. Doch George ließ den Blick über die beiden hinweg und hinüber zu dem Hut und dem zerknautschten Kleid schweifen.

Der Strohhut hatte ein breites, schwarzes Band. Es war Annes Hut. Und jetzt, da ihm diese Tatsache bewußt wurde, sah er auch, daß es sich um Annes Kleid handelte.

Das Fernglas glitt George aus der Hand. Er taumelte, wäre fast gestürzt, und ließ sich schwer auf sein Bett fallen. Auf ihr Bett – seines und Annes.

Ließ es offensichtlich willig über sich ergehen ... Seine Gedanken kreisten nur um diese, seine eigene Formulierung. Er konnte, wollte nicht glauben, was er gesehen hatte, und doch ... es war eindeutig. Und sie machte mit, ganz offensichtlich.

Wie lange er betäubt dagesessen hatte, konnte er selbst nicht sagen: fünf Minuten? Zehn? Doch schließlich wurde sein Kopf wieder klar. Er nahm sich zusammen, wohl wissend, was er zu tun hatte. All dieser Klatsch in Bezug auf Yulians Schule: Es hatte bestimmt der Wahrheit entsprochen. Dieser Bastard war pervers! Aber was war nur mit Anne los, mit seiner Anne?

War sie vielleicht betrunken? Oder stand sie unter Drogen? Das war es! Yulian hatte ihr mit Sicherheit etwas gegeben.

George stand auf. Er war nun innerlich völlig kalt, eiskalt. Sein Blut kochte, doch sein Verstand war wie ein weißes Schneefeld, in dem sich die Spur deutlich abzeichnete, der er folgen mußte. Er blickte seine

Hände an und spürte die Kraft, die ihm Gott verlieh, und ebenso die Kraft des Teufels, die sie durchströmte. Er würde diesem Schwein die schwarzen, seelenlosen Augen aus dem Kopf reißen, würde sein verdorbenes Herz zerreißen!

Er torkelte wie betrunken, mit Mord im Herzen, die Treppe hinab, durch das leere Haus und auf den Hain zu. Und er fand Annes Hut und Kleid genau dort, wo er beides entdeckt hatte. Aber von Anne selbst und Yulian keine Spur! Das Blut hämmerte in Georges Schläfen; der Haß drang wie Säure durch seinen Verstand und fraß sich durch sämtliche Schichten von Rationalität.

Immer noch taumelig brach er durch das Gestrüpp und trat auf den Kiesweg hinaus, warf dem Haus einen von Abscheu erfüllten Blick zu. Dann befahl ihm eine innere Stimme, sich umzudrehen. Weiter hinten, nahe dem Tor zur Straße, stand Wlad und beobachtete ihn. Dann trottete er langsam und unsicher auf George zu.

Etwas wie Vernunft gewann die Oberhand in George. Er haßte Yulian nun leidenschaftlich, hatte fest vor, ihn zu töten, aber er fürchtete den Hund nach wie vor. Er hatte immer etwas gegen Hunde gehabt, und gegen diesen im Besonderen. So rannte er zum Haus zurück, und als er um die Hecke herum kam, erblickte er Yulian, der durch das Gestrüpp zur hinteren Seite des Hauses schritt. Zum Kellereingang.

»Yulian!« Geroge bemühte sich, zu schreien, doch brachte nur ein heiseres Krächzen zuwege. Er verzichtete auf einen zweiten Versuch. *Warum sollte ich dieses perverse Stück Scheiße auch noch warnen?*

Wlad begann, ihm mit weiten Sätzen hinterherzurennen.

Am Hauseck hielt George einen Augenblick lang inne, weil er total außer Atem war.

Er hatte eben keine Kondition mehr. Dann entdeckte er die verrostete alte Hacke, die an die Wand gelehnt stand, und ergriff sie augenblicklich.

Ein Blick nach hinten zeigte ihm, daß Wlad sich mit angelegten Ohren rasch näherte. George verschwendete keine Zeit mehr, sondern pflügte einfach durch das niedrige Gestrüpp am Eingang zu den Kellergewölben. Und Yulian stand in der offenen Tür. Er hörte George herankommen, drehte sich um und sah ihn überrascht an.

»Ach, George!« Er lächelte wie ein Junge, den man beim Rauchen ertappt hat. »Ich hatte mir gerade überlegt, daß ich dir die Keller zeigen könnte!« Jetzt bemerkte er Georges Gesichtsausdruck und die Hacke in seinen Händen. Georges Knöchel waren weiß vor Anstrengung.

»Die Keller?« rief George mit erstickter Stimme, außer sich vor Haß. »Ja, zum Teufel, die will ich sehen!« Dabei schwang er seine improvisierte Waffe. Yulian riß einen Arm hoch, um sein Gesicht zu schützen, und drehte sich weg. Die scharfe, rostige Kante der Hacke traf ihn hinten an der rechten Schulter, durchschlug das Schulterblatt und drang zur Gänze in seinen Rücken ein.

Yulian wurde vorwärts geschleudert und stürzte auf die Rampe zwischen den schmalen Treppenaufgängen. Die Hacke steckte noch in seinem Rücken. Im Fallen gab er ein »Ah, ahhh!« von sich, es kam jedoch nicht als schmerzerfüllter Aufschrei heraus, sondern eher wie ein Laut der Überraschung, des Erschreckens!

George sprang mit ausgestreckten Armen und gefletschten Zähnen hinterher. Er verfolgte Yulian, so wie Wlad ihn.

Yulian lag mit dem Gesicht am Boden am Fuß der Treppe neben der geöffneten Kellertür. Er stöhnte und bewegte sich schwerfällig. George stemmte rasch einen Fuß hart auf seinen Rücken und riß die Hacke heraus. »Ah, ah!« Wieder dieser eigenartige, seufzende Aufschrei. George hob die Hacke erneut – und vernahm im gleichen Moment Wlads Knurren hinter sich.

Er fuhr herum und schwang die Hacke in einem tödlichen Bogen. Der Hund wurde im Sprung getroffen. Die Flachseite traf ihn voll am Kopf. Er sackte auf den Betonboden und stöhnte wie ein Mensch. George atmete schwer und hob die Waffe erneut, doch das Tier war offensichtlich bewußtlos. Seine Flanken hoben sich, die Zunge hing ihm aus dem Maul, aber er rührte sich nicht. Nun hatte er es nur noch mit Yulian zu tun.

George wandte sich um, und da sah er Yulian, der wieder auf den Beinen war und in die Dunkelheit des Kellergewölbes hinein taumelte. Es war unglaublich! Trotz dieser Verletzung konnte sich der verdammte Bastard noch rühren!

George ging ihm hinterher. Das Gewölbe war von enormer Ausdehnung. Nischen, Kellerräume und finstere Korridore reihten sich aneinander. George ließ seine Beute jedoch keinen Moment aus den Augen. Und dann – Lichtschein!

George spähte mit zusammengekniffenen Augen durch einen Türbogen in einen trübe beleuchteten Raum hinein. Eine einzelne verstaubte Glühbirne hing unter einem metallenen Lampenschirm von der hochgewölbten Decke aus Natursteinen. Einen Augenblick lang verlor er Yulian aus dem Blick, doch als er genau zwischen ihn und die Lichtquelle wankte, trat George entschlossen auf ihn zu. Yulian sah ihn und und fuchtelte wild mit einem Arm, um die Glühbirne zu zerschlagen. Doch er verfehlte sie und versetzte sie lediglich in Schlingerbewegungen, woraufhin Licht und Schatten einen schwindelerregenden Tanz aufführten.

Trotzdem konnte George nun auch den Rest des Raumes überblicken. Im flackernden Spiel von Licht und Schatten sah er, in welche Hölle er direkt hineinspaziert war.

Licht ... und spinnwebenüberzogene Holzregale in der einen Ecke. Dunkelheit ... und der übergroße, noch dunklere Schatten Yulians, der sich unsicher in der Mitte des Raumes duckte. Licht ... und Georgina, die in einem alten Korbstuhl an einer Wand saß, die Augen aufgerissen, doch mit leerem Blick ... Mund und Nasenlöcher wie dunkle Kavernen in ihrem bleichen Gesicht. Dunkelheit ... und eine rasche Bewegung ganz in seiner Nähe, so daß George unwillkürlich die Hacke hob, um sich zu schützen. Das Licht des Wahnsinns ... und zu seiner Rechten eine riesige Kupferwanne, mehr als ein Meter fünfzig im Durchmesser, mit kupfernen Füßen – auf der einen Seite Helen, die zusammengesunken auf einem Küchenhocker saß, den Rücken gegen die salpeterverkrustete Wand gelehnt, und genauso auf der anderen Seite Anne, völlig nackt. Ihre Unterarme hingen über den Rand der Wanne, und in dieser drinnen bewegte sich etwas rastlos, streckte ihnen Seile aus rohem, ungeformten Teig entgegen. Flackernde, gnädige Dunkelheit ... aus der Yulians Gelächter ertönte, das rauhe, kranke Lachen eines irreparabel Geisteskranken. Wieder das Licht ... und Georges Blick war starr auf die Wanne und vor allem die Frauen gerichtet. Das Bild, das er dort sah, brannte sich in sein Gehirn ein.

Helens Kleid war der Länge nach aufgerissen und die Teile zu Seite geklappt. Das Mädchen hing wie eine Hure auf ihrem Hocker, die Beine weit gespreizt, so daß sie alles zeigte. Genauso Anne. Und beide schnitten Grimassen. Ihre Gesichter verzogen sich zwanghaft auf eine schreckliche Art und Weise; Wonne und totale Angst lösten sich ständig auf ihren Mienen ab; die Arme hingen in die Wanne hinein und der namenlose, schleimige Schrecken kroch an ihnen bis zu den Schultern hoch, pulsierte dabei noch!

Gnädige Dunkelheit ... und ein Gedanke in Georges wankendem Verstand: *Oh Gott! Es saugt sie aus, und es fließt gleichzeitig in sie hinein!*

Yulian war ihm nun so nahe, daß er sein röchelndes Atmen hören konnte. Wieder Licht – das wilde Umherschwingen der Lampe hatte sich ein wenig beruhigt – und die Hacke wurde Georges tauben Fingern entrissen und weggeworfen.

Und nun endlich stand er unsicher Auge in Auge mit dem Mann, den er töten wollte, und von dem er jetzt wußte, daß er überhaupt kein Mensch mehr war, sondern eine Kreatur, aus den schlimmsten Alpträumen geboren.

Gummifinger, so stark wie Stahlruten, packten seine Schulter und rissen ihn mühelos und unwiderstehlich auf die Wanne zu.

»George«, röchelte der Alptraum im Tonfall einer belanglosen Konversation, »darf ich dir jemanden vorstellen ...«

SECHSTES KAPITEL

Alec Kyles Knöchel waren weiß angelaufen, so fest hielt er die Schreibtischplatte gepackt. »Um Gottes Willen, Harry!« rief er und blickte entsetzt die Keogh-Erscheinung an, die von sanften Sonnenbalken aus den Lücken der Jalousien durchdrungen wurde. »Wollen Sie, daß ich mir vor Angst in die Hosen mache, bevor wir noch richtig angefangen haben?«

Ich berichte lediglich das, was ich weiß. Und darum haben Sie mich ja gebeten, oder? Keogh blieb gelassen.

Denken Sie daran, Alec, daß Sie alles nur aus zweiter Hand hören. Ich habe alles direkt von den Toten, und glauben Sie mir, ich habe all dies für Sie noch abgemildert!

Kyle schluckte, schüttelte den Kopf und riß sich dann wieder zusammen.

Etwas von dem, was Keogh erwähnt hatte, kam ihm plötzlich zu Bewußtsein. »Sie haben das von den Toten? Ich habe mit einem Mal das Gefühl, Sie meinen damit nicht nur Thibor Ferenczy und George Lake?«

Nein, ich habe auch mit Pfarrer Pollock gesprochen. Der Yulian hätte taufen sollen!

»Oh, ja«, bestätigte Kyle und wischte sich die Stirn ab. »Das leuchtet mir ein!«

Alec! Keoghs sanfte Stimme klang nun etwas schärfer. *Wir müssen uns beeilen. Harry fängt an, sich zu rühren.*

Und nicht nur das wirkliche Kind in Hartlepool, fast fünfhundert Kilometer entfernt, sondern auch sein ätherisches Abbild, das sich durchscheinend auf Bauchhöhe Keoghs langsam um sich selbst drehte, bewegte sich nun, gab die Fötushaltung auf und streckte sich. Der Babymund öffnete sich zu einem herzhaften Gähnen. Die Erscheinung Keoghs begann wie Rauch zu flimmern, wie Hitzeschlieren über einer sommerlichen Straße.

»Bevor Sie gehen ...« Kyle war nun verzweifelt. »... wo fange ich an?«

Seine Antwort erhielt er durch das schwache, aber doch deutlich hörbare Weinen eines erwachenden Babys. Keogh riß die Augen auf. Er bemühte sich, einen Schritt auf Kyle zu zu tun, doch das blaue Leuchten wurde schwächer, wie ein zusammenbrechendes Fernsehbild. Einen Augenblick später floß die Erscheinung zu einer einzigen senkrechten Linie zusammen, wie bei einer beschädigten Bildröhre, verkürzte sich zu einem Punkt aus blendendem blauen Feuer auf Augenhöhe – und erlosch.

Und doch hörte Kyle noch etwas wie aus großer Ferne: *Setzen Sie sich mit Krakovic in Verbindung. Sagen Sie ihm alles, was Sie wissen. Oder zumindest einiges davon. Sie werden seine Hilfe benötigen.*

»Die Russen? Aber Harry ...«

Auf Wiedersehen, Alec. Ich ... komme ... zurück ... sobald ich ... kann.

Und dann war es vollkommen still im Zimmer. Es wirkte leer. Die Zentralheizung schaltete mit einem deutlichen Klicken ab.

Kyle saß noch lange da, atmete tief und schwitzte ein wenig. Dann bemerkte er die blinkenden Lämpchen auf seinem Telefonpult und hörte gleichzeitig das leichte, fast schüchterne Klopfen an die Bürotür.

»Alec?« fragte eine Stimme von draußen. Es war die Carl Quints. »Es ... es ist jetzt weg. Aber ich glaube, das wissen Sie bereits. Ist bei Ihnen alles in Ordnung?«

Kyle holte tief Luft und drückte den Knopf der Sprechanlage. »Für den Moment ist alles vorüber«, erklärte er den anderen im Hauptquartier, die mit angehaltenem Atem lauschten. »Kommt jetzt am Besten alle zu mir herein. Die Zeit reicht noch für ein kurzes Brainstorming, bevor wir für heute Schluß machen. Ihr werdet einiges wissen wollen, und wir müssen über einige Dinge sprechen.«

Er nahm den Finger vom Knopf und sagte zu sich selbst: »Und diese »Dinge« meine ich wörtlich.«

Die Reaktion der Russen erfolgte auf dem Fuße, viel schneller als Kyle je erwartet hätte. Er wußte nicht, daß Leonid Breschnev bald eine Menge Antworten haben wollte, und daß Felix Krakovic nur noch vier Monate von seinem vereinbarten Jahr blieben ...

Kyle und Krakovic, die beiden Chefs der ESPionage-Organisationen, wollten sich am ersten Freitag im September treffen, und zwar auf neutralem Grund. Der Treffpunkt befand sich in Genua, Italien, in einer schnuddeligen Bar mit dem Namen Frankies Franchise, die in einem wahren Labyrinth kleiner Gassen in der Altstadt Genuas lag, keine zweihundert Meter vom Hafen entfernt. Kyle und der hochempfindliche Talentsucher Quint landeten am Donnerstag Abend auf dem ziemlich heruntergekommenen Christophero-Colombo-Flughafen. Ihr Kontaktmann vom britischen Geheimdienst war schon zwölf Stunden vorher dagewesen. Sie hatten keine Zimmer reservieren lassen, bekamen jedoch problemlos nebeneinander liegende Räume im Hotel Genovese, wo sie sich erfrischten und aßen, bevor sie sich in die Bar begaben. Es war ruhig dort, die Stimmung gedämpft. Ein halbes Dutzend Italiener saßen an den kleinen Tischen oder an der Theke, dazu zwei deutsche Geschäftsleute und ein amerikanisches Touristenpaar.

Einer der Italiener, der allein an seinem Tisch saß, war überhaupt kein Italiener, sondern ein Russe, ein KGB-Agent, doch das wußten Kyle und Quint nicht. Er besaß kein ESP-Talent, sonst hätte ihn Quint sofort erkannt. Sie bemerkten auch nicht, daß der Russe sie mit einer Mini-Kamera fotografierte. Und doch war auch der Russe nicht unbemerkt geblieben. Er war gesehen worden, als er das Hotel betrat und ein Zimmer buchte.

Kyle und Quint saßen in einer Ecke des Raumes, tranken bereits den dritten Vecchia Romagnas und unterhielten sich in gedämpftem Ton über ihre bevorstehenden Verhandlungen mit Krakovic, als das Telefon auf der Theke klingelte.

»Für mich!« sagte Kyle sofort, wobei er von seinem Hocker hochfuhr. Das war typisch für sein besonderes Talent: Es traf ihn immer wie ein leichter elektrischer Schlag.

Der Barmann hob ab und blickte herüber. »Signor ...«, begann er.

»Kyle?« fragte Kyle zur Sicherheit und streckte die Hand nach dem Hörer aus. Und dann meldete er sich nochmals mit »Kyle«, als er das Gespräch aufnahm.

»Hier spricht Brown«, sagte eine sanfte Stimme. »Mr. Kyle, zeigen Sie bitte keine Überraschung, blicken Sie nicht auf oder verhalten sich nervös! Einer der Männer in der Bar ist Russe. Ich werde ihn nicht beschreiben, weil Sie sich anders verhalten würden, wenn Sie ihn erkennen, und er würde das bemerken. Aber ich habe es nach London weitergemeldet, und die haben ihn per Computer überprüft. Er gibt sich wie ein Geschäftsmann, gehört aber zum KGB. Er heißt Theo Dolgikh. Er ist einer von Andropovs Top-Agenten. Ich dachte, das sollten Sie wissen. Sowas hätte nicht vorkommen sollen, oder?«

»Nein«, sagte Kyle, »eigentlich nicht.«

»Na«, riet ihm Brown, »ich wäre an Ihrer Stelle ein wenig streng zu Ihrem Mann, wenn Sie ihn morgen treffen, falls ich Sie wäre. Und um Ihren Seelenfrieden zu wahren: Sollte Ihnen etwas zustoßen, was ich für unwahrscheinlich halte, können Sie sicher sein, daß Dolgikh ebenfalls das Zeitliche segnet, klar?«

»Das ist doch sehr beruhigend«, stellte Kyle grimmig fest. Er gab dem Barmann den Hörer zurück.

»Probleme?« Quint zog eine Augenbraue hoch.

»Trinken Sie aus, und wir unterhalten uns auf einem unserer Zimmer weiter«, sagte Kyle. »Verhalten Sie sich ganz natürlich. Ich denke, wir sind gerade im Fernsehen, versteckte Kamera und so ...« Sein Lächeln wirkte gezwungen, als er seinen Brandy ex herunterkippte und aufstand. Quint tat es ihm nach.

Sie verließen die Bar und gingen langsam die Treppe hinauf. In Kyles Zimmer suchten sie zunächst einmal nach Wanzen. Das war sowohl eine Herausforderung an ihre fünf Sinne, als auch an ihre psychischen Fähigkeiten. Das Zimmer war sauber.

Kyle berichtete Quint von dem Anruf. Quint war ein magerer und drahtiger, geistig beweglicher Mann von etwa fünfunddreißig Jahren, hatte bereits schütteres Haar, sprach an und für sich sehr sanft, konnte aber auch schnell aggressiv werden. »Kein guter Beginn«, grollte er. »Aber wir hätten das wohl erwarten sollen. Das dürfte ja zum Alltag eines Geheimagenten gehören, schätze ich.«

»Nein, bei uns gehört das nicht dazu!« Kyle war verärgert. »Dies war als geistiges Zusammentreffen geplant. Muskeln sollten keine Rolle spielen.«

»Wissen Sie, welcher von denen der Agent ist?« Quint war Pragmatiker. »Ich glaube, ich kann mich an alle Gesichter erinnern. Ich erkenne bestimmt jeden wieder, falls wir erneut mit ihm zusammentreffen.«

»Vergessen Sie's«, sagte Kyle. »Brown wünscht keine Konfrontation. Allerdings ist er darauf vorbereitet, härtere Maßnahmen zu ergreifen, falls etwas schief läuft.«

»Wie tröstlich!« meinte Quint sarkastisch.

»Finde ich auch«, stimmte Kyle ihm zu.

Anschließend suchten sie auch Quints Zimmer nach Wanzen ab, entdeckten nichts und zogen sich zum Schlafen zurück.

Kyle duschte noch, bevor er ins Bett ging. Es war unangenehm warm. Daher legte er seine Decken auf den Fußboden. Die Luftfeuchtigkeit war hoch und wirkte drückend. Es sah nach Regen aus, und falls sich ein Gewitter zusammenbraute, würde es heftig werden. Kyle kannte Genua im Herbst und wußte, daß die Stürme hier zu den schlimmsten überhaupt gehörten.

Er ließ die Nachttischlampe eingeschaltet, als er sich zum Schlafen zusammenrollte. Die Tür zwischen den beiden Zimmern war nicht verschlossen. Quint schlief vermutlich schon. Der Stadtverkehr dröhnte immer noch laut jenseits der heruntergelassenen Jalousie. Im Vergleich dazu wirkte London wie ein Friedhof. Der Gedanke an einen Friedhof half nicht gerade beim Einschlafen ...

Kyle schloß die Augen. Er spürte, wie ihn der Schlaf hinabzog, sanft wie die Arme einer liebenden Frau, und er fühlte –

– wie ihn etwas anderes aufzuwecken versuchte!

Die Lampe brannte noch. Ein Lichtkreis hob den Mahagoni-Nachttisch aus der Dunkelheit hervor. Doch es gab noch eine zweite Lichtquelle, und sie war blau!

Kyle fuhr aus dem Halbschlaf hoch und setzte sich kerzengerade auf.

Natürlich war das Harry Keogh.

Carl Quint kam durch die Zwischentür hereingestürmt, nur mit seiner Pyjamahose bekleidet. Er blieb abrupt stehen und trat dann einen Schritt zurück.

»Oh, mein Gott!« brachte Quint heraus. Sein Mund stand offen. Die Keogh-Erscheinung – Mann und schlafendes Kind in einer Gestalt – drehte sich um neunzig Grad und sah ihn an.

Nicht erschrecken, sagte Keogh.

»Können Sie ihn sehen?« Kyle war noch nicht so ganz wach.

»Meine Herren, ja!« hauchte Quint und nickte dabei. »Ich kann ihn auch hören. Und selbst wenn ich ihn nicht hörte, wüßte ich doch, daß er da ist.«

Kann psychische Ausstrahlungen wahrnehmen, sagte Keogh. *Na gut, das ist hilfreich.*

Kyle schwang seine Beine aus dem Bett und schaltete die Lampe ab. Keogh hob sich nun viel besser von der dunklen Umgebung ab, beinahe wie ein Hologramm.

»Carl Quint«, stellte ihn Kyle vor, wobei seine Haut prickelte. Er konnte sich einfach nicht an die Fremdartigkeit dieser Erscheinung gewöhnen. »Das ist Harry Keogh.«

Quint suchte auf wackeligen Beinen nach einem Stuhl und ließ sich darauf fallen. Kyle war nun hellwach und hatte seine erste Überraschung überwunden. Ihm war bewußt, wie platt und vage es klingen mußte, doch er fragte: »Harry, was machen Sie denn hier?«

Und Quint brach beinahe in hysterisches Gelächter aus, als die Erscheinung antwortete: *Ich habe mich mit Thibor Ferenczy unterhalten. Wissen Sie, ich muß meine Zeit nutzen, denn es bleibt mir nicht mehr viel davon. Mit jeder wachen Stunde wird der kleine Harry kräftiger, und es fällt mir schwerer, ihm zu widerstehen. Es ist letzten Endes sein Körper, und ich werde immer weiter hineingezogen, vielleicht sogar absorbiert. Sein kleiner Verstand füllt sich mit seinen eigenen Daten, und die drücken mich hinaus, oder vielleicht quetschen sie mich auch zusammen. Sehr bald werde ich ihn verlassen müssen, und ich weiß nicht, ob ich hinterher noch irgendwann einmal körperlich erscheinen kann. Also entschloß ich mich, auf dem Rückweg von Thibor schnell noch bei Ihnen vorbeizuschauen.*

Kyle spürte Quints Hysterie wachsen, und er warf dem anderen im sanften blauen Lichtschein einen warnenden Blick zu. »Sie haben mit dem alten Vampir in der Erde gesprochen?« wiederholte er. »Aber wieso, Harry? Was wollten Sie von ihm?«

Er ist einer von ihnen – ein Vampir – oder zumindest war er es. Die Toten wollen nicht viel mit ihm zu tun haben. Unter ihnen ist er ein Paria. In mir hat er, nun, vielleicht keinen Freund, aber doch jemanden, mit dem er sich unterhalten kann. Also machen wir einen Tauschhandel: Ich kümmere mich ein wenig um ihn, und dafür erzählt er mir, was ich wissen will. Allerdings ist auch das nicht so leicht, wie es sich anhört – nicht bei Thibor Ferenczy. Auch im Tod hat er seine Cleverness nicht eingebüßt. Er weiß, je länger er alles hinauszieht, desto früher bin ich wieder zurück. Bei Dragosani hat er die gleiche Taktik angewandt, erinnern Sie sich noch?

»Oh, ja«, bestätigte Kyle. »Und ich erinnere mich auch daran, was mit Dragosani geschah. Nehmen Sie sich in acht, Harry!«

Thibor ist tot, Alec, beruhigte Harry ihn. *Er kann keinen Schaden mehr anrichten. Doch was er hinterlassen hat, könnte ...*

»Was er hinterlassen hat? Sie meinen Yulian Bodescu? Ich habe meine Männer auf ihn angesetzt. Sie observieren dieses Haus in Devon, und ich bin auf ihn vorbereitet. Sobald wir uns seiner Verhaltensmuster sicher sind, sobald wir alles ausgewertet haben, was Sie uns berichteten, werden wir zuschlagen.«

Ich habe Yulian eigentlich damit nicht gemeint, obwohl er natürlich ein Teil des Ganzen ist. Aber wollen Sie damit sagen, daß Sie Telepathen auf ihn angesetzt haben? Keogh machte einen erschrockenen Eindruck. *Wissen sie, womit sie sich auseinandersetzen müssen, sollten sie bemerkt werden? Sind sie im Bilde?*

»Ja, alles klar. Sie sind voll im Bilde. Und ausgerüstet. Aber wenn möglich, sollten wir noch ein wenig mehr über sie in Erfahrung bringen, bevor wir handeln. Trotz alledem, was Sie uns berichtet haben, wissen wir immer noch sehr wenig!«

Und wissen Sie auch von George Lake?

Kyle spürte seine Kopfhaut prickeln. Quint offensichtlich auch. Er war es diesmal, der die Frage beantwortete: »Wir wissen, daß er sich nicht mehr in seinem Grab auf dem Friedhof von Blagdon befindet, falls Sie das meinen. Die Ärzte haben Herzversagen als Todesursache angegeben, und sowohl seine Frau, als auch die Bodescus waren bei seiner Beerdigung zugegen. Soviel haben wir nachgeprüft. Doch wir waren selbst dort und haben nachgesehen, und George Lake war keineswegs an dem Ort, an welchem er sich befinden sollte. Wir glauben, daß er bei den anderen im Haus ist.«

Die Keogh-Erscheinung nickte.

Genau das habe ich gemeint. Also ist er jetzt untot. Und er hat sicherlich Yulian Bodescu genau berichtet, was er eigentlich ist. Oder vielleicht nicht so genau, aber trotzdem dürfte Yulian nun ziemlich sicher sein, daß er ein Vampir ist. Oder genauer, ein Halb-Vampir. George dagegen ist ein echter und vollwertiger Vampir! Er ist gestorben, und das, was in ihm ist, hat bestimmt vollständig die Kontrolle übernommen.

»Was?« Kyle war überrascht und nachdenklich. »Ich ver ...«

Lassen Sie mich den Rest der Geschichte Thibors erzählen, unterbrach ihn Keogh. *Mal sehen, was Sie davon halten.*

Kyle konnte dem nur zustimmen. Er nickte. »Ich denke, Sie wissen schon, was Sie tun, Harry!«

Im Zimmer war es nun bereits kälter. Kyle gab Quint eine Decke und wickelte sich in die andere. »Okay, Harry«, sagte er. »Die Bühne gehört Ihnen ...«

Das Letzte, woran sich Thibor erinnern konnte, war die bestialische Tierfratze des Ferenczys, das Maul weit aufgerissen und lachend, die rote, gespaltene Zunge, die wie eine aufgespießte Schlange fremdartig und leidenschaftlich zuckte und bebte. Daran erinnerte er sich, und auch an die Tatsache, daß er durch Drogen betäubt worden war. Danach war er in einem unwiderstehlichen Mahlstrom untergegangen, bis hinab in schwarze Tiefen, aus denen er erst jetzt nach furchtbaren Alpträumen langsam, unendlich langsam wieder auftauchte.

Er hatte von Wölfen mit gelben Augen geträumt; von einem blasphemischen Wappen in Form eines Teufelskopfes mit einer gespaltenen Zunge wie der des Ferenczys. Aus dem Teufelskopf auf dem Wappen quollen allerdings Ströme von Blut. Von einer schwarzen Burg über einer Felsschlucht hatte er geträumt, und von ihrem Herrn, der nicht ganz menschlicher Natur war. Und nun, weil ihm ja bewußt geworden war, daß er geträumt hatte, wußte er ebenso, daß er aufwachte. Und die Frage machte sich in ihm breit: Wieviel war Traum und wieviel Wirklichkeit?

Thibor verspürte eine unterirdische Kälte, Krämpfe in allen Gliedmaßen, ein Pochen in den Schläfen wie ein hallender Gong in einer großen und hohen Höhle. Er spürte die Hand- und Fußschellen, die in seine Gelenke schnitten, die kalte, glitschige Steinwand an seinem Rücken, hörte die eiskalten Wassertropfen an seinem Ohr vorbeizischen und spürte ihren Aufschlag in der Höhlung an seinem Schlüsselbein.

Nackt in einem dunklen Kerker in der Burg des Ferenczy angekettet. Und nun war es nicht mehr notwendig, sich zu fragen, wieviel von alledem ein Traum gewesen war. Alles war Wirklichkeit.

Thibor erwachte grollend zum Leben, mühte sich mit der Kraft eines Riesen und hing doch hilflos in seinen Ketten, ignorierte das Donnern in seinem Kopf und die Schmerzlanzen in seinen Gliedmaßen und brüllte wie ein verwundeter Stier in die Dunkelheit hinein: »Ferenczy! Du *Hund*, Ferenczy! Verräterischer, verunstalteter Sohn einer ...«

Der wallachische Krieger stellte sein Brüllen wieder ein und lauschte den ersterbenden Echos seiner Stimme. Und noch etwas anderes vernahm er: Von irgendwo oben her wurde sein Aufbrüllen durch das

Zuschlagen einer Tür beantwortet. Gemächliche Schritte näherten sich. Und mit prickelnder, eiskalter Haut und geblähten Nasenlöchern, sowohl von Zorn, als auch von Angst getrieben, hing er in seinen Ketten und wartete.

Die Dunkelheit war beinahe vollständig, nur unterbrochen vom schwachen chemischen Leuchten verkrusteter Streifen an den Wänden, doch während Thibor die Luft anhielt und den hallenden, sich nähernden Schritten lauschte, wurde ein flackernder Lichtschein sichtbar. Er enthüllte einen fest gemauerten Torbogen in einer blanken Felswand. Die Dunkelheit in der Zelle wurde mehr und mehr in die Ecken zurückgedrängt, während der Lichtschein stärker glühte und die Schritte immer lauter hallten.

Dann wurde eine flackernde Laterne durch die Türöffnung hereingehalten, und dahinter folgte der Ferenczy selbst. Er mußte sich bücken, um nicht mit dem Kopf gegen den Schlußstein des Torbogens zu stoßen. Hinter der Laterne glühten seine Augen rot in den Schatten seiner Gesichtszüge. Er hob die Laterne an und nickte grimmig bei dem Anblick, der sich ihm bot.

Thibor hatte geglaubt, allein zu sein, doch nun sah er, daß er sich geirrt hatte. Im gelben Lichtkegel der Laterne entdeckte er andere – Körper, die sich ebenfalls in der Zelle befanden. Ob sie allerdings tot oder von Leben beseelt waren ...? Einer zumindest schien noch zu leben.

Geblendet kniff Thibor die Augen zusammen. Ja, es befanden sich drei weitere Gefangene bei ihm, wie er nun erkennen konnte, und – die Frage, ob sie noch am Leben waren oder nicht einmal dahingestellt – es war nicht schwer, zu erraten, um wen es sich handelte. Wie und warum der Burgherr sie hierher gebracht hatte, war ihm allerdings nicht klar. Thibors wallachische Begleiter und Arvos, der Szigany, lagen neben ihm. Nur der untersetzte Wallache schien auf den ersten Blick noch am Leben zu sein. Er lag dort, wo jemand die Bodenfliesen herausgerissen hatte und die blanke Erde zum Vorschein kam. Sein Körper machte einen völlig zerschlagenen oder zerschmetterten Eindruck, doch der Brustkorb hob und senkte sich und einer der Arme zuckte leicht.

»Der Glückliche«, kommentierte der Ferenczy, der seinen Blick bemerkt hatte, mit einer Stimme, so tief wie ein Abgrund. »Oder vielleicht auch der Unglückliche, je nach Standpunkt. Er war am Leben, als meine Kinder mich zu ihm führten.«

Thibor rasselte mit seinen Ketten. »Was? Mann, er lebt auch jetzt noch! Könnt Ihr nicht sehen, daß er sich bewegt? Da, er atmet!«

»Oh, ja!« Der Ferenczy kam auf seine lautlose, schlangengleiche Art näher. »Und das Blut strömt durch seine Adern, und das Gehirn in seinem zerschmetterten Kopf arbeitet und denkt furchtsame Gedanken – aber ich sage Euch: Er lebt nicht mehr! Und er ist auch nicht wirklich tot. Er ist untot!« Er schmunzelte wie über einen obszönen Witz.

»Lebendig, untot? Gibt es da einen Unterschied?« Thibor riß kräftig an seinen Ketten. Wie gern würde er sie um den Hals des anderen winden und zuziehen, bis die Augen aus ihren Höhlen quollen!

»Der Unterschied liegt darin, daß er jetzt unsterblich ist.« Sein Peiniger schob dieses bestialische Gesicht näher an seines heran. »Lebendig war er ein Sterblicher, untot lebt er auf gewisse Weise für immer. Oder solange, bis er sich selbst zerstört oder durch irgendeinen Unfall zerstört wird. Ah, für immer leben können, ist das nichts, Thibor? Wie süß doch das Leben sein kann! Aber würdet Ihr glauben, daß es auch unendlich langweilig sein kann? Nein, natürlich nicht, denn Ihr kennt die Langeweile der Jahrhunderte noch nicht. Frauen? Was für Frauen habe ich schon gehabt! Und Essen?« Seine Stimme klang nun verschlagen. »Ach! Leckerbissen, von denen Ihr noch nicht einmal träumen könnt! Und doch – diese letzten hundert, nein, zweihundert Jahre über hat mich das alles nur noch gelangweilt.«

»Ihr seid lebensmüde, ja?« Thibor knirschte mit den Zähnen und legte all seine Kraft hinein, als er versuchte, die eisernen Klammern aus der Wand zu reißen, die seine Ketten festhielten. Nutzlos. »Laßt mich nur frei, und ich erlöse Euch von Eurer – Langeweile!«

Der Ferenczy lachte. Es klang wie das eifrige Bellen eines Jagdhundes auf der Hatz. »Tatsächlich? Aber das habt Ihr ja schon, mein Sohn. Durch Euer Kommen! Denn wißt Ihr, ich habe doch gerade auf jemanden wie Euch gewartet! Langeweile? Ja, bisher schon. Doch Ihr seid die richtige Kur dafür, allerdings eine, die ich auf meine Weise anwende. Ihr würdet mich töten, ja? Glaubt Ihr das wirklich? Ach ja, ich habe noch einiges an Kämpfen vor mir, doch nicht gegen Euch. Was? Sollte ich gegen meinen eigenen Sohn kämpfen? Niemals! Nein, ich werde losziehen und kämpfen und töten, wie vielleicht noch niemand je zuvor. Und ich werde Frauen lieben, wie zwanzig Männer auf einmal, und keine wird mir widerstehen. Und ich werde bis in die letzten Winkel dieser Erde vordringen, und mein Name wird in die Geschichte eingehen, wie keiner zuvor, oder er wird für immer aus der Geschichte der Menschen gestrichen werden! Denn was sonst könnte ich tun, eine Kreatur wie ich, die zum Leben verdammt ist?«

»Ihr sprecht in Rätseln!« Thibor spie auf den Fußboden. »Ihr seid verrückt! Euer einsames Leben hier oben, nur in der Gesellschaft von Wölfen, hat Euch in den Wahnsinn getrieben. Ich kann mir nicht vorstellen, warum der Wlad Euch fürchten soll, einen einzelnen Verrückten ohne Macht. Aber warum er Euren Tod wünscht, kann ich verstehen. Ihr seid ... ekelerregend! Ein Pestgeschwür der Menschheit. Mißgebildet, doppelzüngig, wahnsinnig: Der Tod wäre das Beste für Euch! Oder man sollte Euch wegsperren, dorthin, wo Euch normale Menschen nicht anschauen müssen!«

Der Ferenczy trat einen Schritt zurück, beinahe, als sei er ob Thibors Aggressivität überrascht. Er hängte seine Laterne an einen Fackelhalter und setzte sich auf eine Steinbank. »Normale Menschen, sagtet Ihr? Wie die Natur sie geschaffen hat, ja? Ah, an der Natur ist viel mehr, als das menschliche Auge wahrnehmen kann, mein Sohn! Und Ihr glaubt, ich sei etwas Unnatürliches? Nun, die Wamphyri sind selten, zugegeben, aber das ist der Säbelzahntiger auch. Na gut, ich habe seit ... seit mehr als dreihundert Jahren keine Raubkatze mit Sichelzähnen mehr gesehen! Vielleicht gibt es keine mehr. Möglich, daß die Menschen sie ausgerottet haben. Ja, und genauso kann es eines Tages sein, daß die Wamphyri nicht mehr existieren. Aber sollte dieser Tag jemals kommen, glaubt mir, dann wird es nicht die Schuld Faethor Ferenczys sein! Nein, und auch Eure nicht!«

»Noch mehr Rätsel – bedeutungsloses Geschwätz – Irrsinn!« entfuhr es Thibor. Er war hilflos, und das war ihm nur zu bewußt. Sollte dieses monströse Geschöpf seinen Tod beschließen, dann war er so gut wie tot. Und mit einem Verrückten zu diskutieren war sinnlos. Besser ihn zu beleidigen, seine Wut anzustacheln, damit es schneller vorüber war. Es würde nicht gerade angenehm sein, hier an Ketten zu hängen und langsam zu verfaulen, und überdies noch zusehen zu müssen, wie die Maden die Körper von Männern auffraßen, die seine Kameraden gewesen waren.

»Seid Ihr fertig?« fragte der Ferenczy in seiner tiefsten Stimmlage. »Am besten beendet Ihr jetzt Euer beleidigendes Gewäsch, denn ich habe Euch viel zu sagen, viel zu zeigen, will Euch Bedeutsames lehren und Euch noch bedeutendere Fähigkeiten vermitteln. Ich bin dieses Ortes müde, müßt Ihr wissen, aber jemand muß hier herrschen. Wenn ich mich in die Welt hinausbegebe, muß jemand bleiben und die Burg für mich bewahren. Jemand, der genauso stark ist wie ich selbst. Es ist meine Burg, es sind meine Berge, meine Ländereien! Eines Tages will ich vielleicht zurückkehren. Sollte das der Fall sein, will ich hier einen Ferenczy vorfinden. Deshalb bezeichne ich Euch als meinen Sohn. Hier und jetzt adoptiere ich Euch, Thibor aus der Wallachei. Künftig seid Ihr Thibor Ferenczy. Ich gebe Euch meinen Namen, und ich gebe Euch mein Banner, den Teufelskopf. Oh, ich weiß, daß diese Ehren weit über Euren Rang hinausgehen. Ich weiß, daß Ihr mir kräftemäßig noch nicht ebenbürtig seid. Doch diese Kraft werde ich Euch verleihen! Ich werde Euch die allergrößte Ehre zuteil werden lassen, ein wundervolles Mysterium! Und wenn Ihr dann ein Wamphyri seid, werdet ...«

»Euren Namen?« grollte Thibor. »Ich will Euren Namen nicht! Ich spucke auf Euren Namen!« Er schüttelte wild den Kopf. »Und was Euer Wappen betrifft, so habe ich mein eigenes.«

»Ach?« Das Geschöpf erhob sich und glitt näher heran. »Und was ist Euer Wappen?«

»Eine Fledermaus aus der Ebene der Wallachei«, antwortete Thibor, »die auf dem Drachen der Christen reitet.«

Dem Ferenczy stand der Mund vor Überraschung offen. »Aber das ist ja überaus vorteilhaft! Eine Fledermaus, sagt Ihr? Ausgezeichnet! Und sie reitet auf dem Drachen der Christen? Noch besser! Und nun kommt ein drittes Zeichen hinzu: Laßt Shaitan persönlich die beiden überragen!«

»Ich brauche Euren blutspeienden Teufel nicht!« Thibor schüttelte den Kopf und machte eine finstere Miene.

Der Ferenczy lächelte bedächtig und unheilvoll. »Oh, Ihr werdet ihn brauchen, ganz bestimmt.« Dann lachte er laut auf. »Jawohl, und ich werde mich Eurer Abzeichen bedienen. Wenn ich hinaus in die Welt ziehe, werde ich alle drei Zeichen mit mir führen, Teufel, Fledermaus und Drachen. Da seht Ihr, wie ich Euch ehre! Von nun an führen wir die gleichen Zeichen im Wappen.«

Thibor zog die Augen zusammen.

»Faethor Ferenczy, Ihr spielt mit mir wie eine Katze mit der Maus. Warum? Ihr bezeichnet mich als Euren Sohn, bietet mir Euren Namen, Euer Wappen. Und doch hänge ich hier an Ketten, einer meiner Freunde liegt tot im Raum und ein zweiter sterbend neben mir. Sagt es mir doch offen: Ihr seid ein Wahnsinniger, und ich bin Euer nächstes Opfer! Ist es nicht so?«

Der andere schüttelte das Wolfshaupt. »So wenig Vertrauen«, grollte er in fast traurigem Tonfall. »Aber wir werden ja sehen. Sagt mir jetzt lieber, was Ihr von den Wamphyri wißt.«

»Nichts. Oder nur sehr wenig. Eine Legende, ein Mythos. Verrückte, die sich an entlegenen Orten verbergen und plötzlich auf Bauern oder kleine Kinder losgehen, um sie zu erschrecken. Manchmal sind sie auch gefährlich: Mörder, Vampire, die nachts Blut saugen und schwören, es verleihe ihnen Kraft. ›Wieszy‹ nennen die russischen Bauern so einen, ›Obur‹ sagen die Bulgaren, und in Griechenland heißen sie ›Wrykoulakas‹. Das sind Bezeichnungen, wie sie sich von geisteskranken Männern gegeben werden. Etwas haben sie gemeinsam, gleich in welchem Land und in welcher Sprache: Sie sind Lügner und Verrückte!«

»Ihr glaubt nicht daran? Ihr habt mich gesehen, kennt die Wölfe, die ich beherrsche, die Angst, die ich in den Herzen des Wlad und seiner Priester auslöse, aber Ihr glaubt nicht daran!«

»Ich habe es bereits gesagt, und ich sage es Euch erneut«, beharrte Thibor und riß ein letztes Mal frustriert an seinen Ketten, »die Männer, die ich getötet habe, sind allesamt tot geblieben. Nein, ich glaube nicht daran.«

Der andere betrachtete seinen Gefangenen mit glühenden Augen.

»Das ist der Unterschied zwischen uns beiden«, sagte er. »Denn die Männer, die *ich* töte, falls es mir beliebt, sie auf eine gewisse Weise zu töten, bleiben *nicht* tot. Sie werden zu Untoten.«

Er stand auf und trat mit einer flüssigen Bewegung zu ihm heran. Seine Oberlippe zog sich auf einer Seite hoch und legte einen gekrümmten Fangzahn bloß, der wie der nadelspitze Reißzahn eines Raubtieres wirkte. Thibor blickte zur Seite, mied den Atem des Mannes, der roch, als sei er vergiftet. Und mit einem Mal fühlte sich der Wallache schwach, hungrig und durstig. Er war sicher, eine ganze Woche lang durchschlafen zu können.

»Wie lange bin ich schon hier?« fragte er.

»Vier Tage.« Der Ferenczy begann, unruhig hin und her zu gehen. »Vor vier Nächten seid Ihr den schmalen Weg emporgeschritten. Eure Freunde hatten Pech, wie Ihr euch noch erinnern solltet. Ich habe Euch zu essen gegeben, dazu Wein, doch leider war Euch mein Wein ein wenig zu stark. Dann, während Ihr – äh – geruht habt, haben mich meine Geschöpfe zu den Abgestürzten geführt. Der treue alte Arvos! Seine Knochen waren gebrochen, doch er war noch am Leben. Genau wie Euer kräftiger wallachischer Kamerad, dessen Knochen an scharfkantigen Felsen zersplitterten. Meine Kinder wollten sie haben, doch ich hatte noch Verwendung für sie und ließ sie hierher schleifen. Der hier überlebte ...« Er stieß den stämmigen Wallachen mit einer Stiefelspitze an. »Er war auf Arvos gefallen! Es war mir klar, daß er sich nicht bis zum Morgen halten würde, und ich brauchte ihn, um Euch etwas zu beweisen. Und so habe ich ihn, wie es in jenem ›Mythos‹, jener ›Legende‹ heißt, ausgesaugt. Ich trank sein Blut und gab ihm dafür etwas zurück, einen Teil von mir. So starb er. Drei Tage und drei Nächte vergingen, während mein Geschenk in ihm arbeitete und eine gewisse Verschmelzung stattfand. Und eine Heilung. Seine zerbrochenen Knochen wachsen nun wieder zusammen. Bald wird er sich als einer der Wamphyri wieder erheben, als einer der geringen Anzahl von Auserwählten, wenn auch unter meinem Einfluß stehend. Er ist untot.« Der Ferenczy hielt inne.

»Wahnsinniger!« beschuldigte Thibor ihn erneut, wenn auch nicht ganz so überzeugt wie zuvor. Denn der Ferenczy hatte dies alles so *selbstverständlich* von sich gegeben, ohne falschen Unterton. Er konnte nicht das sein, was er zu sein vorgab – nein, selbstverständlich nicht – doch er glaubte offensichtlich fest daran. Der Ferenczy, ob er nun Thibors erneuten Vorwurf wahrgenommen hatte oder nicht, ignorierte ihn jedenfalls. »Als verunstaltet habt Ihr mich bezeichnet. Meintet Ihr damit »unnatürlich«? Das würde bedeuten, daß Ihr selbst etwas von der Natur versteht, ja? Versteht Ihr das Leben, die Natur des Wachstums?«

»Meine Vorfahren waren Bauern, ja« brummte Thibor. »Ich habe gesehen, wie die Dinge wachsen und gedeihen.«

»Gut! Dann wißt Ihr auch, daß es gewisse Prinzipien dabei gibt, die manchmal unlogisch erscheinen. Laßt mich Euch prüfen. Was würdet Ihr sagen: Wenn ein Mann einen Baum besitzt, an dem seine Lieblingsäpfel wachsen, und er fürchtet, der Baum könne eingehen, wie kann er ihn dann fortpflanzen und den Geschmack der Früchte erhalten?«

»Ein Rätsel?«

»Bitte geht doch auf meinen Wunsch ein!«

Thibor zuckte die Achseln. »Es gibt zwei Möglichkeiten: durch Aussaat und durch Beschneiden. Pflanzt einen Apfel ein, und ein neuer Baum wird daraus wachsen. Wollt Ihr aber den wahren, ursprünglichen Geschmack erhalten, dann beschneidet ihn und zieht den Steckling auf. Es ist doch offensichtlich: Was sind Stecklinge denn sonst, als die Fortsetzung des Lebens des ursprünglichen Baumes?«

»Offensichtlich?« Der Ferenczy zog die Augenbrauen hoch. »Vielleicht für Euch. Aber mir erscheint es offensichtlich, genau wie den meisten Menschen, wenn sie nicht gerade Bauern sind, daß der wahre Geschmack aus dem Samen stammt. Denn was ist der Samen sonst, als das Ei des Baumes, ja? Sicher, Ihr habt schon recht, der echte Geschmack stammt aus dem Steckling. Was den Baum betrifft, der aus dem Samen gezogen wurde: Er entstand ja auch durch die Pollen eines anderen Baumes! Wie könnte also die Frucht die Gleiche sein? *Offensichtlich* für jemanden, der Bäume besitzt.«

»Wo soll das alles hinführen?« Thibor war sich des Ferenczys Wahnsinn sicherer als je zuvor.

»Bei den Wamphyri«, sagte der Burgherr, wobei er Thibor direkt in die Augen sah, »benötigt die Natur kein Eingreifen eines anderen, keine

Pollen, keine Befruchtung. Wo selbst der Baum einen Partner braucht, um sich fortzupflanzen, trifft das für die Wamphyri nicht zu. Alles, was wir benötigen, ist ein ... Wirt.«

»Ein Wirt?« fragte Thibor verständnislos zurück, während ein Krampf seine Beine durchschüttelte. Es lag bestimmt an den feuchten Wänden seiner Zelle.

»Nun sagt mir«, fuhr Faethor fort, »was Ihr über den Fischfang wißt.«

»Was? Fischfang? Ich war ein Bauernsohn und bin nun ein Krieger. Was sollte *ich* vom Fischen verstehen?«

Faethor sprach weiter und ignorierte dabei Thibors Frage: »Die Bulgaren und die Türken fingen im Griechischen Meer immer schon Fische. Doch jahrelang erlebten sie eine wahre Flut von Seesternen. Die Tiere kamen in solchen Mengen an die Meeresoberfläche, daß man keine Fische mehr fangen konnte und ihr großes Gewicht sogar die Netze zerriß. Und die Fischer? Sie reagierten, indem sie jeden eingeholten Seestern aufschnitten und ins Meer zurückwarfen, den Fischen zum Fraß. Jedoch fressen Fische keine Seesterne! Und was noch schlimmer war: Aus jedem Teilstück eines Seesterns wächst ein neuer! Und so gab es logischerweise jedes Jahr mehr von ihnen. Dann dämmerte einiges klugen Fischern die Wahrheit, und sie begannen, den unerwünschten Fang zu behalten, an Land zu bringen, dort zu verbrennen und die Asche in den Olivenhainen zu verstreuen. Und siehe da, die Seesterne wurden immer weniger, die Fische kehrten zurück, und die Oliven wurden schwarz und saftig.«

Thibors Schulter begann nervös zu zucken, zweifellos eine Folge der Anstrengung, da er bereits so lange an den Ketten hing. »Jetzt verratet mir aber, was Seesterne mit Euch und mir zu tun haben!«

»Mit Euch nichts, oder noch nicht. Aber was die Wamphyri betrifft ... nun, die Natur hat uns die gleiche Eigenschaft geschenkt. Wie könntet Ihr einen Feind niederstrecken, wenn für jedes Glied, das Ihr ihm abhackt, ein neues nachwächst?« Faethor grinste, und seine Zähne wirkten dabei wie ein Gitter aus spitzen gelben Knochen. »Und wie könnte ein bloßer Mensch einen Vampir töten? Jetzt seht Ihr, warum ich Euch so mag, mein Sohn. Denn wer außer einem Helden käme hier herauf, um den Unzerstörbaren zu vernichten?«

Thibor erinnerte sich an die Worte eines gewissen Kontaktmannes am Hof des Wlad in Kiew: *Sie rammen Pfähle durch ihre Herzen und schneiden ihre Köpfe ab ... Noch besser, wenn sie alles in kleine Stücke zerreißen und diese verbrennen ... Selbst ein noch so kleiner Teil eines Vampirs kann im Körper eines unvorsichtigen Mannes wieder heranwachsen ... wie ein Blutegel, aber innen drin!*

»Im Waldboden«, unterbrach Faethor seine morbiden Erinnerungen, »wachsen viele Ranken. Sie suchen das Licht und erklettern große Bäume, um die frische, freie Luft zu erreichen. Einige *dumme* Ranken, wenn man so sagen will, wachsen so dicht, daß sie am Ende ihre Bäume töten. Wenn diese dann umstürzen, zerstören sie auch die Ranken. Das habt Ihr auch schon beobachtet, da bin ich sicher. Aber andere benützen lediglich die mächtigen Stämme ihrer Wirtsbäume, teilen Erde und Licht mit ihnen, und sie leben gemeinsam bis an ihr Ende. Tatsächlich gibt es Ranken, die für das Wachstum ihrer Wirtsbäume sogar förderlich sind. Ach! Doch dann kommt eine Dürre. Die Bäume verdorren, färben sich schwarz, stürzen, und der Wald ist zerstört. Doch drunten in der fruchtbaren Erde leben die Rankenpflanzen weiter und warten. Ja, und wenn fünfzig oder hundert Jahre später neue Bäume wachsen, schieben sich die Ranken erneut aus dem Boden und wachsen dem Licht entgegen. Wer ist stärker: der Baum mit seinem mächtigen Stamm und den kräftigen Ästen, oder die schlanke, feine Ranke mit ihrer Geduld? Wenn Geduld eine Tugend ist, Thibor von der Wallachei, dann sind die Wamphyri so tugendhaft wie nichts anderes!«

»Bäume, Fische, Ranken.« Thibor schüttelte unwillig den Kopf. »Ihr phantasiert, Faethor Ferenczy!«

»Alle jene Dinge, von denen ich Euch erzählt habe«, ließ sich der andere nicht abbringen, »werdet Ihr schließlich noch verstehen lernen. Doch bevor Ihr auch nur zu verstehen beginnt, müßt Ihr an mich glauben. An das, was ich bin.«

»Niemals werde ich ...«, wollte Thibor anfangen, doch er wurde unterbrochen.

»Oh doch, das werdet Ihr! Ganz bestimmt!« zischte der Ferenczy. Seine schreckliche Zunge huschte in der schwarzen Höhle seines Rachens hin und her. »Jetzt hört mir gut zu: Ich habe mein Ei gezeugt.

Es wächst zur Zeit noch. Jeder Wamphyri hat in seinem untoten Leben nur ein einziges Ei, einen Samen, eine Chance, die echte Frucht noch einmal hervorzubringen, eine Möglichkeit, seine »Natur« einem lebenden Wesen weiterzugeben. Ihr seid der Wirt, den ich für mein Ei ausersehen habe.«

»Euer Ei?« Thibor rümpfte die Nase, zog eine finstere Miene und rückte von dem anderen ab, so weit es seine Ketten zuließen. »Euer Samen? Euch ist nicht mehr zu helfen, Faethor!«

»Leider«, kommentierte sein Gegenüber mit hochgezogenen Lefzen und geweiteten Nasenlöchern, »seid Ihr derjenige, dem nicht zu helfen ist!«

Der Umhang des Burgherrn flatterte, als er auf den zerschmetterten Körper des alten Arvos zu glitt. Er hob die Leiche des Zigeuners mit einer Hand hoch wie eine Puppe und setzte sie – mit baumelndem Kopf – aufrecht in eine Nische in der Felswand.

»Wir haben keinen Sex als solchen«, erklärte Faethor mit einem zornigen Blick zu Thibor. »Nur den Sex unserer Wirte. Aber wir verhundertfachen ihre Lust, ihren Drang! Wir empfinden keine andere Lust als die ihre, die wir verdoppeln, vervierfachen – ach! Wir treiben sie in Exzesse hinein, tragen all ihren Gelüsten Rechnung, und wir heilen ihre Wunden, wenn es für menschliches Fleisch und Blut zuviel wird. Und über lange, lange Jahre hinweg, Jahrhunderte sogar, wird aus Mensch und Vampir ein einziges Wesen. Sie werden unzertrennlich, außer unter extremer Gewaltanwendung. Ich, der ich einst ein Mensch war, habe ein solches Reifestadium erreicht. Und Ihr werdet das auch, vielleicht in tausend Jahren!«

Noch einmal riß Thibor umsonst an seinen Ketten. Unmöglich, sie zu brechen oder auch nur zu verbiegen!

»Was die Wamphyri betrifft«, fuhr Faethor fort, »ist es genauso wie bei den verschiedenen Arten und Unterarten von Tieren – Eule und Möwe und Sperling sind alles Vögel; Wolf, Fuchs und andere gehören den hundeartigen Tieren an – es gibt unterschiedliche Stadien und Bedingungen und deshalb auch unterschiedliche Wamphyri. Wir haben ja davon gesprochen, einen Baum zu beschneiden, um Stecklinge zu erhalten. Ja, das Verstehen wird Euch leichter fallen, wenn Ihr es so seht.«

Er bückte sich und schleifte den bewußtlosen, zuckenden Körper des kräftigen Wallachen von dem Fleck mit den aufgebrochenen Bodenfliesen weg. Dafür warf er nun die Leiche Arvos' dorthin auf den blanken, schwarzen Erdboden. Dann kniete er nieder, zerriß das zerlumpte Hemd des Alten und blickte zu Thibor auf, der verständnislos zusah. »Reicht das Licht aus, mein Sohn? Könnt Ihr genug sehen?«

»Es reicht, um einem Wahnsinnigen zuzusehen«, gab Thibor mit einem kräftigen Nicken zu.

Der Ferenczy nickte zurück und lächelte wieder auf diese schreckenerregende Weise. Seine Elfenbeinzähne schimmerten im Laternenschein. »Dann seht her!« zischte er.

Er berührte die nackte Brust der Leiche mit einem ausgestreckten Zeigefinger. Thibor beobachtete ihn ganz genau dabei. Er konnte den nackten Unterarm Faethors sehen, da der Ärmel an seinem Gewand hochgerutscht war. Er konnte also dort nichts versteckt haben, um irgendwelche Zauberkunststücke wie auf dem Jahrmarkt zu vollführen.

Faethors Fingernägel waren lang und spitz. Thibor sah, wie sich die Spitze des ausgestreckten Fingernagels rot färbte, als das Blut aus Arvos' Brust quoll. Der rosafarbene Nagel brach auf wie eine geöffnete Nußschale und schwang kraftlos hin und her, während sich der Finger selbst aufblähte und zu pulsieren begann. Blaue und graugrüne Adern traten deutlich hervor, wanden sich unter der Haut des Fingers, die weiche Spitze – ihres schützenden Nagels beraubt – verlängerte sich eindeutig und schob sich wie von selbst gierig auf das graue, kalte Fleisch des Zigeuners zu.

Das pulsierende Glied war kein Finger mehr: Es war ein Tentakel aus Unfleisch, eine Schlange ohne Haut. Sie war bald zweimal, dann dreimal so lang wie zuvor und schob sich vibrierend auf ihr Ziel zu: offensichtlich das Herz des Mannes.

Thibor beobachtete das alles mit herausquellenden Augen, angehaltenem Atem und offenstehendem Mund.

Bis zu diesem Augenblick hatte Thibor so etwas wie Furcht nicht gekannt, aber das änderte sich nun. Thibor, der Wallache, Herr über eine wenn auch kleine und zerlumpte Armee, humorloser, gnadenloser Jäger von Petschenegen, war bisher der absolut furchtlose Thibor gewesen.

Er war noch auf kein Geschöpf getroffen, das er gefürchtet hätte. Bei der Jagd waren die wilden Keiler des Waldes, die Männern tödliche Wunden zufügten, für ihn bloße Ferkel gewesen. Und sollte irgendein Mann ihm den Fehdehandschuh hinwerfen, würde Thibor mit jeder Waffe, die der Herausforderer verlangte, gegen ihn kämpfen. Und niemand wagte es, ihn herauszufordern! In der Schlacht führte er jeden Angriff persönlich an und war stets mitten im Getümmel anzutreffen. Furcht? Dieses Wort hatte keine Bedeutung für ihn gehabt. Wovor auch sollte er sich fürchten? Wenn er in den Kampf geritten war, hatte er durchaus gewußt, daß jeder Tag sein letzter sein mochte. Das hatte ihn nicht davon abgehalten. So abgrundtief war sein Haß auf die Invasoren, daß er seine Furcht weggeschwemmt hatte. Kein Geschöpf, weder Mensch noch Tier, noch menschliches Handeln, hatte ihm je weiche Knie verursacht, jedenfalls nicht seit seiner Kindheit – falls er je ein Kind gewesen war.

Doch Faethor Ferenczy unterschied sich von allen bisherigen Bedrohungen. Folter mochte lediglich verstümmeln und am Ende zum Tod führen, doch danach gab es keinen Schmerz mehr. Was der Ferenczy jedoch androhte, schien eine Ewigkeit der Hölle zu bedeuten. Bloße Augenblicke zuvor war das alles noch der Traum eines Verrückten gewesen, aber nun ...?

Thibor war nicht in der Lage, seinen Blick von dem zu wenden, was da geschah, obwohl er aufstöhnte und erblaßte.

»Jawohl, ein Steckling.« Faethors Stimme klang leise und bebte vor unterdrückter Leidenschaft. »Er findet seine Nahrung in bereits gezeichnetem Fleisch, das bald verfaulen wird. Es ist die niedrigste Form der Existenz für einen Wamphyri, und nichts wird sich daraus entwickeln, solange er keinen lebenden Wirt zur Verfügung hat. Aber er wird leben, verschlingen, stark werden – und sich verbergen! Wenn nichts mehr von Arvos übrig ist, wird er sich in der Erde verstecken und abwarten. Wie die Rankenpflanze, die auf einen Baum wartet. Der abgeschnittene Teil eines Seesterns, der nicht stirbt, sondern dem ein neuer Körper wächst – doch das Wesen, das ich zeuge, wartet darauf, einen lebendigen Körper zu bewohnen! Ohne Verstand, ohne zu denken, bleibt es ganz seinen primitivsten Instinkten überlassen. Doch trotzdem kann es die Zeitalter überdauern. Bis ein unvorsichtiger Mann darauf stößt, und bis es ihn findet ...«

Sein unglaublicher, blutiger, pulsierender Zeigefinger berührte Arvos' Fleisch ... und lepröse weiße Wurzelfäden lösten sich mit einem Mal daraus und gruben sich wie Würmer in die Brust des Zigeuners. Kleine Hautlappen wurden umgeschlagen; an dem schleimigen Tentakel entwickelten sich plötzlich winzige Zähne, mit deren Hilfe er sich den Weg nach innen frei kaute.

Thibor hätte gern weggesehen, doch dazu war er nicht fähig. Faethors »Finger« brach mit einem weichen, schmatzenden Geräusch ab und vergrub sich flink in der Leiche.

Faethor hielt die Hand hoch. Das abgetrennte Glied wuchs an die richtige Stelle zurück; Pseudofleisch verschmolz wieder mit seinem echten Fleisch. Die krankhafte Hautfarbe verblaßte. Der Finger nahm eine normale Form an. Der alte Fingernagel fiel zu Boden, und vor Thibors Augen bildete sich ein neuer.

»Also, mein heldenhafter Sohn, der hierher kam, um mich zu töten«, sagte Faethor, während er sich erhob und Thibor seine Hand vor das blutleere Gesicht hielt, »hättet Ihr dies wirklich töten können?«

Thibor drückte sich nach hinten an die Wand, wäre am liebsten hineingekrochen, um diesem ausgestreckten Finger zu entgehen.

Doch Faethor lachte nur. »Was? Glaubt Ihr, ich würde ...? Aber nein, nicht Euch, Ihr seid mein Sohn. Sicher könnte ich es tun! Und Ihr wärt mir für alle Zeiten hörig, in meinem Bann. Aber das ist das zweite Stadium der Wamphyri-Existenz, und es wäre Euer unwürdig. Nein, denn ich schätze Euch viel zu sehr. Ihr sollt schließlich mein eigenes, einziges Ei in Euch tragen!«

Thibor suchte nach Worten, aber seine Kehle war ausgetrocknet wie eine Wüste.

Faethor lachte noch einmal und zog seine drohende Hand zurück. Er wandte sich ab und trat hinüber, wo der untersetzte Wallache zusammengekrümmt auf dem Boden lag. Er atmete rauh und schwer und hatte das Gesicht in eine staubige Ecke gepreßt.

»Er befindet sich in diesem zweiten Stadium«, erklärte Thibors entsetzlicher »Vater«. »Ich nahm ihm etwas und gab ihm dafür etwas anderes zurück. Fleisch von meinem Fleisch ist nun in ihm, heilt ihn, verändert ihn. Seine Tränen werden versiegen, die gebrochenen Knochen zusammenwachsen, und er wird leben – solange ich will. Doch er wird immer mein Sklave bleiben, für mich da sein, meinen Befehlen gehorchen. Denn wisset, er *ist* ein Vampir, doch ohne dessen Geist. Der Geist, der Verstand, entspringt ausschließlich dem Ei, und er wurde nicht aus einem solchen gezeugt, sondern ist lediglich ein ... Steckling. Wenn er erwacht, und das wird bald erfolgen, werdet Ihr meine Worte verstehen.«

»Verstehen?« Thibor fand seine Sprache wieder, auch wenn es sich wie ein heiseres Krächzen anhörte. »Aber wie kann ich das verstehen? Warum sollte ich es zu verstehen wünschen? Ihr seid ein Ungeheuer, das verstehe ich! Arvos ist tot, und dennoch ... habt Ihr ihm *das* angetan? Warum? Nichts außer Maden kann jetzt in ihm leben.«

Faethor schüttelte den Kopf. »Nein, sein Fleisch ist wie fruchtbare Erde – oder wie das fruchtbare Meer. Denkt an die Seesterne.«

»Ihr wollt ein ... ein weiteres Exemplar von Euch selbst heranzüchten? In ihm?« Thibor konnte nur noch stammeln.

»Es wird ihn ganz aufbrauchen«, antwortete Faethor. »Aber noch einen Faethor Ferenczy? Nein. Ich habe meinen Verstand. Er wird keinen besitzen. Arvos kann nicht als Wirt dienen, da sein Gehirn tot ist, ist Euch das nicht klar? Er ist Nahrung, nicht mehr und nicht weniger. Wenn er heranwächst, wird er nicht wie ich aussehen. Nur wie ... das, was Ihr gesehen habt.« Er hielt seinen blassen, neu gestalteten Zeigefinger mahnend hoch.

»Und der andere?« Thibor brachte ein schwaches Nicken in Richtung des anderen Mannes zuwege – dessen, was einst ein Mann gewesen war – der in seiner Ecke schnarchte und keuchte.

»Als ich ihn zu eigen nahm«, erklärte Faethor, »lebte sein Verstand. Was ich ihm gab, wächst nun in seinem Körper und in seinem Geist heran. Oh, ja, er ist gestorben, aber nur, um Platz für das Leben eines Wamphyri zu machen. Kein Leben als solches, sondern eine untote Existenz. So wird er untot wieder zurückkehren.«

»Verrückt!« stöhnte Thibor.

»Und was diesen hier betrifft ...« Der Ferenczy trat in den Schatten am anderen Ende der Zelle. Aus der Düsternis ragten die Beine und ein Arm von Thibors anderem wallachischen Kameraden hervor, und Faethor zerrte nun den gesamten Körper in Sicht. »Dieser hier wird Nahrung für beide liefern. Solange, bis sich derjenige ohne Verstand in ein Versteck zurückzieht und der andere seinen Dienst als Euer Diener antritt.«

»*Mein* Diener?« Thibor war verwirrt.

»Hört Ihr mir denn nicht zu?« fragte Faethor ärgerlich. »Mehr als zweihundert Jahre lang habe ich für mich selbst gesorgt, habe mich geschützt, bin allein und einsam geblieben in einer Welt, die sich ständig ausdehnt, sich verändert, immer neue Wunder zeigt. Das habe ich für meinen Abkömmling auf mich genommen, der nun bereit ist, weitergegeben zu werden, und zwar an Euch. Ihr werdet hier bleiben und diesen Ort, dieses Land und die »Legende« vom Ferenczy am Leben erhalten. Doch ich werde hinausziehen unter die Menschen und das »Leben« genießen! Es gibt Kriege und Ehre zu gewinnen, und die Geschichte zu gestalten. Ja, und es gibt Frauen, die darauf warten, verwöhnt zu werden!«

»Ehre? Ihr?« Thibor hatte sich wieder ein wenig gefangen. »Das bezweifle ich. Und für ein einsames Wesen scheint Ihr eine ganze Menge über das zu wissen, was in der Welt vor sich geht!«

Faethor lächelte so grausig wie nur möglich. »Noch eine geheime Kunst der Wamphyri«, schmunzelte er. »Eine von mehreren. Andere zu verhexen gehört auch dazu, wie Ihr beispielsweise bei Arvos feststellen konntet, dessen Geist ich so an meinen band, daß wir uns noch über große Entfernungen hinweg verständigen konnten. Nun, und außerdem gibt es noch die Kunst der Nekromantie.«

Nekromantie! Davon hatte Thibor gehört. Die östlichen Barbarenstämme hatten ihre Zauberer oder Schamanen, die den Bauch eines Verstorbenen öffneten, um aus den Innereien die Geheimnisse ihres vergangenen Lebens herauszulesen.

»Nekromantie.« Faethor nickte, da er Thibors Gesichtsausdruck wohl bemerkt hatte. »Jawohl. Ich werde es Euch sehr bald schon lehren. Ich war dadurch in der Lage, meine Wahl zu untermauern, als ich Euch zum zukünftigen Wirt meines Nachkommens machen wollte. Denn wer könnte mehr über Euch und Eure Taten, Eure Stärken und Schwächen, Eure Reisen und Abenteuer wissen, als ein früherer Kamerad, oder?«

Er hielt inne und drehte mit einer mühelosen Bewegung den Körper des hageren Wallachen auf den Rücken. Und Thibor sah, was man ihm angetan hatte. Es war nicht das Werk eines Wolfsrudels gewesen, denn nichts war angefressen.

Der magere, gekrümmt gehende Wallache war zu Lebzeiten stets ein aggressiver Mann gewesen, der mit vorgeschobenem Kinn einherschritt. Jetzt erschien er noch magerer. Sein Rumpf war von der Kehle bis zum Bauch geöffnet worden. All seine Röhren und Därme und Organe hingen lose heraus, und das Herz hing sogar nur noch an einer einzigen Sehne. Es war offensichtlich herausgerissen worden. Thibor hatte mit dem Schwert so manchen Gegner ähnlich aufgeschlitzt, ohne daß es ihn besonders beeindruckte. Doch der Ferenczy hatte selbst zugegeben, daß dieser Mann bereits tot gewesen war. Und diese enorme Wunde war nicht das Werk eines Schwertes ...

Thibor schauderte, wandte seinen Blick von der verstümmelten Leiche und musterte unabsichtlich Faethors Hände. Die Fingernägel des Ungeheuers waren messerscharf. Noch schlimmer – Thibor wurde beinahe schlecht von dem Anblick – auch seine Zähne wirkten wie geschliffene Messer. »Warum das?« Thibor brachte nur ein heiseres Flüstern zustande.

»Das habe ich Euch bereits gesagt.« Faethor wurde ungeduldig. »Ich wollte mehr über Euch erfahren. Im Leben war er Euer Freund. Ihr wart in seinem Blut, in seiner Lunge, in seinem Herzen. Auch im Tod war er noch loyal, denn er gab seine Geheimnisse nicht leicht preis. Seht wie lose seine Innereien hängen. Ach, wie ich sie reizen mußte, um ihnen seine Geheimnisse zu entreißen!«

Alle Kraft entwich aus Thibors Beinen, und er sackte in seinen Ketten zusammen wie ein Gekreuzigter. »Wenn ich sterben muß, dann tötet mich jetzt«, keuchte er. »Macht ein Ende!«

Faethor glitt näher, immer näher, und stand dann nicht einmal eine Armlänge entfernt vor ihm. »Das erste Stadium der Existenz – der Urzustand für einen Wamphyri – erfordert den Tod nicht. Ihr *glaubt* vielleicht, daß Ihr sterbt, wenn der Samen die ersten Wurzeln in Euer Hirn schiebt und sie das Mark Eures Rückgrats betasten, aber Ihr werdet nicht sterben! Danach ...« Er zuckte die Achseln. »Der Übergang mag quälend langsam oder auch blitzschnell erfolgen, das kann man nie sagen. Aber eines ist sicher: Es wird geschehen.«

Thibors Blut wallte noch einmal kraftvoll durch seine Adern. Er konnte immer noch wie ein Mann sterben.

»Wenn Ihr mir keinen sauberen Tod gönnt, dann erledige ich das selbst!« Er knirschte mit den Zähnen vor Anstrengung und zerrte an seinen Handschellen, bis das Blut aus den Adern seiner Handgelenke schoß. Und immer noch riß er an den Ketten, riß seine Wunden tiefer auf.

Faethors langgezogenes Zischen ließ ihn innehalten. Thibor blickte von seinem grauenhaften Werk der Selbstzerstörung auf und ... in den Abgrund der Hölle.

Dieses grauenhafte Gesicht, das sich mehr und mehr zur Höllenfratze verzerrte, befand sich keinen Atemhauch entfernt von seinem. Die überlangen Kiefer öffneten sich, und eine scharlachrote Schlange züngelte in der Dunkelheit hinter den Zähnen, die sich zu Dolchen verwandelt hatten.

»Ihr erdreistet Euch, mir Euer Blut zu zeigen? Das heiße Blut der Jugend, das Blut des Lebens?« Faethors Hals zog sich unvermittelt in einem Krampf zusammen, so daß Thibor schon glaubte, er werde sich übergeben, doch das geschah nicht. Statt dessen umklammerte Faethor seine Kehle, gurgelte erstickt und taumelte ein wenig. Als er sich wieder unter Kontrolle hatte, sagte er: »Ah, Thibor! Aber nun, ob Ihr dazu bereit seid oder nicht, habt Ihr das über Euch gebracht, was nicht mehr rückgängig gemacht werden kann. Meine Zeit ist angebrochen, und auch die Eure. Die Zeit für mein Ei, meinen Samen. Seht! Seht!«

Er riß den mächtigen Rachen auf, bis sein Mund zur Höhle wurde, und die gespaltene, umherhuschende Zunge bog sich im Rachen wie ein Haken nach hinten. Und wie ein Haken verfing es sich an etwas und zog es nach vorn in Sicht.

Thibor krümmte sich erschreckt zusammen und schnappte nach Luft. Er sah den Abkömmling des Vampirs, sah was an dem Haken von

Faethors Zunge hing: ein durchscheinender, silbergrauer Tropfen, der wie eine Perle schimmerte und bebte, in jenen letzten Augenblicken vor ... der Aussaat?

»Nein!« schrie Thibor heiser seine Angst hinaus.

Aber er war hilflos. Er blickte Faethor in die Augen, um darin etwas von dem zu erhaschen, was ihm bevorstand, doch das war ein schrecklicher Fehler. Andere zu verhexen und zu hypnotisieren war die größte Stärke des Ferenczy. Die Augen des Vampirs waren gelb wie Gold, riesig, und sie wurden jeden Moment größer.

Ah, mein Sohn, schienen diese Augen zu sagen, *komm, gib deinem Vater einen Kuß!*

Dann ...

Der perlenartige Tropfen färbte sich rot, und Faethors Mund preßte sich auf den Thibors, den er in einem nicht enden wollenden Schrei aufgerissen hatte ...

Harry Keogh schwieg seit geraumer Weile, doch Kyle und Quint saßen noch immer wie erschlagen in ihre Decken gehüllt da.

»Das ist die verr...«, begann Kyle schließlich, während Quint gleichzeitig sagte: »Noch nie im Leben habe ich ...«

Wir müssen das Gespräch beenden, unterbrach Keogh seinerseits die beiden, und in seiner telepathischen Stimme schwang so etwas wie Eindringlichkeit mit. *Mein Sohn wird gleich Schwierigkeiten machen. Er wacht bald auf und hat dann sicher Hunger.*

»Zwei Geister im gleichen Körper«, überlegte Quint laut, immer noch ganz unter dem Eindruck des Gehörten. »Ich meine, ich spreche natürlich von Ihnen, Harry. Auf gewisse Weise ähneln Sie allerdings ...«

Sagen Sie das nicht, unterbrach ihn Keogh zum zweiten Mal. *Es gibt keine Vergleichsbasis zwischen uns. Noch nicht einmal entfernt! Aber hören Sie, ich muß mich beeilen. Haben Sie mir noch irgend etwas mitzuteilen?*

Kyle brachte seine durcheinanderwirbelnden Gedanken unter Kontrolle und zwang sich zurück auf den Boden der Tatsachen und in die Gegenwart.

»Wir treffen morgen mit Krakovic zusammen«, berichtete er. »Aber ich bin verärgert. Das war als exklusives, ausschließlich kollegiales Treffen der beiden Dezernate geplant, in gewissem Sinn eine ESP-Entente, doch nun ist zumindest ein KGB-Schnüffler beteiligt.«

Woher wissen Sie das?

»Wir haben einen Aufpasser auf unsere Umgebung angesetzt – allerdings nur im Hintergrund. Während ihr Mann sich in den Vordergrund gedrängt hat.«

Die Keogh-Erscheinung schien verblüfft. *Das wäre zu Borowitz' Zeit nicht passiert. Er hat sie gehaßt! Und ehrlich gesagt, ich sehe auch jetzt keine Basis dafür. Es gibt keine Gemeinsamkeiten zwischen Andropovs Art der Menschenkontrolle und unserer. Und wenn ich von »unserer« spreche, schließe ich die russischen Kollegen mit ein. Lassen Sie das Ganze nicht zu einer Kraftprobe ausarten, Alec. Sie müssen mit Krakovic zusammenarbeiten. Bieten Sie ihm Ihre Hilfe an.*

Kyle runzelte die Stirn. »Wozu?«

Er hat einiges aufzuräumen. Sie kennen zumindest einen der betroffenen Schauplätze. Sie können ihm dabei helfen.

»Aufräumen?« Kyle stand vom Bett auf. Er drückte die Decke an sich und trat auf die Erscheinung zu. »Harry, wir haben in England noch eine ganze Menge aufzuräumen! Während ich mich hier in Italien aufhalte, läuft Yulian Bodescu zu Hause noch immer frei und unkontrolliert herum! Das macht mich nervös! Der Drang ist stark, meine Leute auf ihn loszulassen und ...«

NEIN! Keogh war ganz aufgelöst. *Nicht, bevor wir alles herausbekommen haben, was überhaupt möglich ist! Sie dürfen das nicht riskieren! Im Augenblick hat er sich nur ein kleines, überschaubares Nest gebaut, aber wenn er will, kann er diese Sache wie eine Epidemie verbreiten!*

Kyle war klar, daß er damit recht hatte. »Na gut«, sagte er, »aber ...«

Kann nicht bleiben, unterbrach ihn sein Gesprächspartner erneut. *Er zieht mich zu stark an. Er wacht auf, sammelt seine Sinne, und mich scheint er als einen davon zu betrachten.* Sein neonfarbenes Abbild begann zu flimmern und das blaue Glühen pulsierte.

»Harry, wovon sprachen Sie, als sie erwähnten, es gebe etwas aufzuräumen? Welcher Schauplatz?«

Das alte Wesen unter der Erde. Keoghs Bild verstärkte sich und verblaßte wieder wie ein gestörtes Radiosignal. Das Hologramm-Kind, das in seinem Hüftbereich zu schwimmen schien, rührte sich klar erkennbar und begann sich zu recken und zu strecken.

Kyle dachte: *Das hatten wir doch alles schon einmal!*

»Sie sagten, daß wir zumindest einen der Schauplätze kennen. Schauplätze? Meinten Sie Thibors Grabstätte? Aber er ist doch wohl endgültig tot, oder?«

Die kreuzförmigen Hügel ... Seesterne ... Ranken, die sich in der Erde verbergen ...

Kyle schnappte beinahe nach Luft. »Er ist immer noch dort?«

Keogh nickte, änderte dann seine Meinung und schüttelte den Kopf. Er versuchte etwas zu sagen, doch seine Umrisse verschwammen und brachen in sich zusammen. Er verschwand in einem Regen glühender blauer Funken.

Einen Augenblick lang glaubte Kyle, daß sein Geist immer noch anwesend sei, doch es war nur Carl Quint, der flüsterte: »Nein, nicht Thibor. Er ist nicht mehr vorhanden. Er nicht, aber das, was er zurückgelassen hat!«

Lieber Leser,
was die beiden E-Dezernate in Bezug auf Yulian Bodescus Vampire unternehmen und welches Erbe der alte Thibor Ferenczy hinterlassen hat, erfahren Sie im nächsten Band der NECROSCOPE-Serie:

UNTOT

ISBN 3-935822-33-2

LPL records **präsentiert:**

Necroscope

Jetzt auch als Hörbuch

Brian Lumley: Das Erwachen (7 CD-Box)
Gesamtspielzeit: 7 Stunden und 45 Minuten

Als Brian Lumley Band 1 der Necroscope-Saga schrieb, ahnte er nicht, dass er damit den Grundstein zur erfolgreichsten Vampir-Serie der Welt gelegt hatte, die in viele Sprachen übersetzt und als Rollenspiel, Comic, PC-Spiel und Hörbuch aufbereitet werden würde. »Ich wollte Vampire darstellen, die ein bisschen mehr taten als bloß Blut zu saugen, wie in den anderen Romanen. Sie sollten ihre eigene Historie haben, eine Abstammung und einen verdammt guten Grund, warum sie noch nicht die ganze Welt beherrschten …«

Vorgetragen in einer inszenierten Lesung von Joachim Kerzel, der deutschen Synchronstimme u. a. von Jack Nicholson und Dustin Hofmann, dem Erzähler der Stephen King Hörbücher und John Sinclair Hörspiele.

Regie führten Sven Hasper und Oliver Rohrbeck, die auch als die Stimmen von Michael J. Fox und Justus Jonas aus *Die drei ???* bekannt sind und als Regisseure unter anderem für die deutschen Fassungen der Filme *Titanic, Sleepy Hollow, Ganz oder gar nicht* oder *Notting Hill* verantwortlich waren.
Produktion von LPL records (www.LPL.de)